P9-AOH-068

Les Colombes du Roi-Soleil

87, quai Panhard-et-Levassor – 75647 Paris Cedex 13
ISBN : 978-2-0812-3038-5

ANNE-MARIE DESPLAT-DUC

Les Colombes du Roi-Soleil

Charlotte, la rebelle

Flammarion

CHAPITRE 1

Je m'appelle Charlotte de Lestrange, j'ai seize ans.

J'ai passé trois années dans la Maison Royale d'Éducation. Mais la vie à Saint-Cyr ne me convenait pas.

Malgré l'amitié d'Isabeau, d'Hortense et de Louise, je ne supportais plus l'enfermement. La liberté dans laquelle j'avais été élevée dans mon enfance me manquait et j'avais du mal à me plier aux rites catholiques, ayant été élevée dans la religion de Calvin[1].

Sans la folie de notre Roi Louis le Grand, qui révoqua l'édit de Nantes[2] nous accordant le droit

1. Religion réformée. On dit aussi protestants ou huguenots.
2. Signé en 1598 par Henri IV.

de vivre librement notre religion, pour le remplacer par l'édit de Fontainebleau[1], jamais je n'aurais été obligée de quitter mon Vivarais et ma famille à l'âge de onze ans.

Je me souviens avec précision de ces cruelles années précédant mon départ.

Tout s'est fait de manière sournoise.

On commença par interdire aux protestants certaines charges. Ils ne pouvaient plus être notaires, huissiers, médecins, apothicaires, libraires... Ceux qui se convertissaient touchaient une prime. Beaucoup de miséreux ou d'êtres cupides cédaient à ce chantage odieux, d'autres empochaient la mise et, en secret, gardaient leur religion.

Mais la majorité d'entre nous ne se laissa pas si facilement berner, aussi le Roi changea-t-il de méthode. Il envoya ses troupes loger chez les protestants. Les dragons s'y conduisirent de la pire des façons, volant, saccageant, soumettant toute la famille à la torture lorsqu'ils n'obtenaient pas la conversion espérée.

C'est mon père qui nous a conté ces actes de barbarie. Je n'en ai fort heureusement pas été témoin.

1. Signé en 1685 par Louis XIV. Il supprime tous les avantages accordés par Henri IV aux protestants.

La famille du métayer travaillant nos terres avait été victime de cette violence. Je la connaissais bien. Marguerite avait l'âge de ma sœur Héloïse. À ce récit macabre, cette dernière était tombée en pâmoison. Quoique mon aînée de trois ans, elle était plus fragile que moi. Moi-même j'avais contenu mes larmes à grand-peine.

Ma mère s'était précipitée vers Héloïse pour la réconforter et avait demandé à mon père s'il n'était point temps de fuir en Suisse comme certains de nos amis. Mon père répugnait à cette solution. Il ne voulait pas abandonner ses terres où il avait planté des mûriers, ni sa magnanerie[1] et le moulinage[2] neuf qui devaient nous assurer la richesse d'ici quelques années. Il nous avait assez répété que la soie était l'or de demain !

J'admirais assez ses idées. Mon père avait la guerre en horreur, préférant l'exploitation de ses terres et l'éducation de ses vers au maniement de l'épée.

Il avait rassuré ma mère :

— Notre famille a servi dans l'armée royale depuis deux générations. Nous avons toujours été de fidèles et loyaux sujets. Le Roi ne s'attaquera pas à sa noblesse.

1. Bâtiment où sont éduqués les vers à soie.

2. Bâtiment où sont torsadés les fils de soie entre eux afin de les rendre plus résistants pour le tissage.

Il avait tort.

Bientôt s'éleva le bruit que les troupes du Roi prenaient aussi leur quartier dans les maisons nobles. Mon père courut se renseigner. La tristesse était peinte sur le visage des habitants et un air de terreur régnait dans les villes et les villages alentour, dont les temples avaient depuis longtemps été démolis. Pour éviter le déshonneur, le pillage et la mort, beaucoup de gens, paysans, marchands, artisans, bourgeois et nobles signaient leur abjuration. L'étau se resserrait autour de nous. Mon père, pourtant, était toujours certain que nous ne serions pas inquiétés.

Charles de Bourdelle, marquis de Réaumont, lieutenant de notre province, ami de monseigneur l'archevêque de Viviers, nous rendit visite et supplia mon père d'abjurer avant que l'orage ne s'abatte sur nous. Il lui expliqua que notre exemple entraînerait un grand nombre de conversions et éviterait ainsi les actes de barbarie qui n'en finissaient pas de se répandre. Il ajouta que le roi serait sensible à ce geste et que nous en tirerions beaucoup d'avantages.

J'assistais à la scène blottie derrière une tenture.

Mon père écouta le discours du marquis, mais ne céda pas. M. de Bourdelle repartit en lui conseillant de réfléchir car, sous peu, il se verrait contraint de nous envoyer des troupes.

Cependant, la sérénité nous avait quittés. Le moindre galop de cheval nous faisait sursauter. Ma mère avait entassé ses effets dans des malles et elle n'attendait que l'approbation de mon père pour fuir. Encore fallait-il trouver un passeur sûr pour franchir les Alpes vers la Suisse et se préparer à un voyage long, pénible et risqué. Pendant plusieurs jours, des gens que je ne connaissais pas vinrent s'entretenir avec mes parents. Je ne savais s'il s'agissait de passeurs, de protestants venus chercher conseil ou de catholiques en quête de notre abjuration.

Les meubles, la vaisselle, les tableaux, tous les objets de valeur avaient été dissimulés dans le grenier, la cave ou les communs pour prévenir du pillage, et ces préparatifs augmentaient notre angoisse. Nous étions en sursis dans l'attente de la catastrophe.

C'est à cette époque que je fis la connaissance de mon cousin François. Il avait seize ans, fière allure, et il était aimable de figure. Je l'avais déjà rencontré à plusieurs reprises car nos familles étaient très liées, mais j'étais trop jeune alors pour en être émue et je préférais parler toilette avec sa sœur Irénée que d'écouter sa conversation que je jugeais trop sérieuse.

Il avait choisi de ne jamais renoncer à sa religion et exhortait mon père à choisir la lutte plutôt que la lâcheté, ce à quoi mon père répondait :

— Mon jeune ami, vous n'êtes pas en charge de famille et votre fermeté vous honore. Vous êtes libre de votre vie et de vos engagements. Je ne le suis point. Il me faut protéger les miens et mes biens. Et puis, je dois assurer l'avenir de mes filles et aucun parti digne n'osera enfreindre la loi en épousant des huguenotes.

— Sauf votre respect, vous faites erreur et je serai fort aise de désobéir au Roi, répliqua François.

En disant cela, il me coula un regard si chaud que j'en fus toute retournée. Ma mère surprit ce regard, mais mon père était si préoccupé qu'il ne saisit pas l'allusion de François aux sentiments qu'il me portait.

— Là n'est pas tout le problème, poursuivit mon père. L'on vient de m'annoncer que les protestants ne pourront plus, d'ici peu, diriger magnanerie, filature et moulinage. De quoi vivrons-nous ? Et quel avenir aura notre fils Simon s'il ne peut prendre ma succession ? En tant que huguenot, le métier de la guerre lui sera interdit et puis, de toute façon, je n'ai pas les sept mille livres nécessaires pour lui acheter une compagnie. Voyez. Nous n'avons pas d'autre solution que de nous soumettre aux vœux du Roi.

Un silence glacial tomba dans la pièce. Mon frère Simon baissait la tête, vaincu d'avance. François, lui, avait tout du chevalier courageux prêt à terrasser le dragon pour sauver sa dame, c'est-à-dire moi.

— Fuyons, mon ami, dit ma mère. La Suisse nous accueillera à bras ouverts et nous serons libres d'y pratiquer notre religion.

— Il me coûte de vous exposer aux dangers de la route. L'armée des frontières est sans pitié. Pour les hommes, ce sont les galères, et pour les femmes, la déportation dans les terres du Nouveau Monde, quand ce n'est pas la mort.

Je frissonnai.

Lorsque François quitta le château, je courus jusqu'à l'allée plantée de tilleuls et fit mine de me trouver là par hasard. Il n'avait pas encore récupéré sa monture et, m'apercevant, il avança vers moi et me dit :

— N'ayez pas peur, Charlotte, toute cette folie ne durera pas. On trompe le Roi en lui assurant que les conversions se font sans violence. Notre Église a choisi mon père pour remettre à Sa Majesté un rapport sur ce qui se passe vraiment dans ses provinces. J'ai le grand privilège de l'accompagner à Versailles. Le Roi ne laissera pas massacrer sa noblesse. D'ici peu, tout rentrera dans l'ordre, je vous le promets.

— Puissiez-vous dire vrai, soupirai-je.

Il prit ma main et poursuivit sur un ton plus doux :

— Charlotte, je vous aime... et il me semble bien que je ne vous suis pas indifférent.

Je rougis. Lui déclarer ma flamme à mon tour était tout à fait inconvenant. Je mis donc dans mon regard tout l'amour qu'il m'inspirait. Il saisit le message car il reprit :

— Alors, dès mon retour, je ferai ma demande en mariage à vos parents.

Je crois bien qu'en regagnant le château, j'esquissai un pas de danse. L'amour de François me faisait occulter tout le reste et je me sentis invincible.

Je me trompais.

CHAPITRE

2

Peu après le départ de François, un matin d'août 1685, une troupe entra dans la cour, le sabre haut. Ma mère et ma sœur étaient encore à leur toilette dans leur chambre. Je m'étais vêtue de bonne heure pour aller admirer trois magnifiques carpes que nous venions d'acquérir pour agrémenter le bassin que mon père avait fait aménager depuis peu. J'aurais dû fuir, me cacher dans une grange ou mieux dans la forêt proche. Je ne sais pourquoi, cela ne me vint pas à l'esprit. Au contraire, je courus vers le château pour ne pas abandonner ma mère et ma sœur. Je sus, plus tard, qu'elles s'étaient réfugiées dans le placard de la lingerie.

Mon père et mon frère se précipitèrent au-devant des soldats en leur assurant que nous étions les amis du marquis de Réaumont et de l'évêque de Viviers qui ne toléreraient pas qu'on nous importunât. Pour toute réponse, l'un de ces dragons repoussa violemment mon père et, de la pointe de son sabre, lui marqua la joue d'une estafilade. Après quoi, toute la troupe pénétra à cheval dans notre demeure, saccagea ce qui restait de meubles, déchira les tapisseries et les tentures, tout cela hurlant, riant, insultant notre famille et demandant à grands cris où l'or et les femmes étaient cachés.

Mon père leur affirma que sa femme et ses filles n'étaient point là. Pour l'or, il leur remit sans hésiter la clef de la pièce où nous avions entassé notre bien le plus précieux.

Malheureusement, à cet instant, un de ces infâmes soudards m'aperçut alors que je cherchais à gravir l'escalier conduisant à l'étage afin de rejoindre ma mère et ma sœur, qui, je le pensais, devaient se terrer quelque part.

— Et celle-là ! hurla-t-il en m'empoignant par le bras.

— Lâchez-là ! ordonna mon père. Elle vient de signer son abjuration et... et nous nous apprêtions à faire de même !

— Tu mens ! Elle sent la huguenote ! Je m'en vais te la convertir, moi !

Il riait et son haleine fétide à quelques centimètres de mon visage me fit frémir. Il allait me violer devant mon père et mon frère et m'égorger ensuite. Alors, dans un geste désespéré, je lui mordis la main de toutes mes forces. Il poussa un juron et me lâcha. En une fraction de seconde, je détalai plus vite qu'un lièvre ayant le chasseur à ses trousses. J'entendis des soldats rire, puis le galop de quelques chevaux, mais je me faufilai dans une haie touffue, me griffant au visage et aux mains. J'y passai des heures qui me semblèrent une éternité, suçant le sang qui perlait sur ma peau dans un réflexe dérisoire pour ne pas tacher ma jupe et mon bustier pourtant déchirés par les branches qui m'entraient dans le corps. Je priai aussi pour que les soldats ne me découvrent pas, qu'ils ne trouvent ni ma mère ni ma sœur et qu'ils ne se vengent pas sur mon père et mon frère. Ce furent les instants les plus éprouvants de ma vie, tant l'angoisse et la peur me broyaient le cœur.

Enfin, une voix m'appela. C'était celle de mon frère. Mais, craignant une mauvaise ruse, je ne me montrai pas. C'est seulement lorsque je l'aperçus, seul, à quelques pas de moi, que je consentis à quitter mon refuge.

— Charlotte ! Nous avons eu si peur pour vous ! Vous pouvez sortir sans crainte de votre cachette, le marquis de Réaumont vient d'arriver pour faire cesser cet affront, mais nous devons signer.

— Jamais !

— Nous n'avons pas le choix.

— Nous aurions dû fuir pendant qu'il en était encore temps.

— L'heure n'est plus aux regrets. Il s'agit à présent de sauver nos vies et celles des gens qui travaillent pour nous. Si nous persistons dans notre religion, ils menacent de détruire la magnanerie, le moulinage, de massacrer les ouvrières et d'envoyer les hommes aux galères.

Lorsque j'entrai au salon, Héloïse se précipita dans mes bras en sanglotant. Notre mère essuyait ses yeux rougis et je voyais à la contracture de la mâchoire de mon père qu'il se contenait à grand-peine. Les soldats avaient disparu. M. de Bourdelle se tenait devant le petit bureau. Il me tendit un papier et me lança d'un ton badin, propre sans doute à dédramatiser la situation :

— Ah, il ne manquait plus que vous, demoiselle !

Je le foudroyai d'un regard assassin. Il le reçut sans broncher, accentuant même son sourire pour ajouter :

— J'eusse été fort triste que ces soudards endommageassent un si joli minois.

Je bouillais intérieurement, mais je signai. Il parut soulagé et demanda à mon père :

— Mon cher ami, vous savez l'estime dans laquelle je tiens votre famille. Croyez bien que toutes ces tracasseries ne sont pas de mon fait. J'exécute les ordres en les adoucissant autant que possible.

Son discours mielleux me surprit, comme, je le crois, il surprit mon père.

— Vous savez que je suis veuf. Ma pauvre épouse est morte de la petite vérole voici un an. Maintenant que mon deuil est terminé, je souhaite me remarier.

Je ne voyais pas en quoi cette histoire nous concernait. Mais le marquis reprit :

— Il y a plusieurs mois déjà que j'ai remarqué la grâce, la beauté et l'intelligence de votre cadette.

Mon sang reflua en force à mon visage. J'avais peur de comprendre.

— Maintenant que la voilà entrée dans notre Église romaine[1], je serais heureux de la prendre pour femme.

— Elle n'a même pas douze ans, plaida ma mère et elle n'est point au fait des choses du mariage. Nous n'envisagions pas de la marier si jeune.

1. C'est-à-dire catholique (le siège de l'Église catholique se trouvant à Rome).

— Et puis, enchaîna mon père, avec nos... problèmes actuels, je ne peux pas lui consentir de dot.

— Aucune importance. Je la prends sans dot au nom de notre amitié.

— C'est-à-dire que..., bredouilla mon père.

— Acceptez, mon ami, cette union plaira à Sa Majesté. Elle fermera plus facilement les yeux sur votre entêtement et, avec mon appui, vous obtiendrez une charge à la Cour pour vous et votre fils.

Mon père hocha la tête sans ouvrir la bouche. Cela pouvait passer pour un acquiescement.

— À la bonne heure ! Vous faites de moi le plus heureux des hommes !

Il ne vint pas à l'idée de ce gentilhomme de me demander mon avis. Pourtant cette union faisait de moi la plus malheureuse des filles puisque j'étais promise à François, même si cela n'était pas officiel.

Sans plus s'occuper de moi, le marquis poursuivit :

— Quant à votre aînée, monseigneur l'évêque a décidé qu'elle irait au couvent de Bourg-Saint Andéol, selon les ordres de Sa Majesté qui souhaite que chaque famille nouvellement convertie donne une de ses filles à la clôture d'un couvent.

Héloïse, qui était restée contre moi, poussa un cri et, s'agrippant à mon bras, elle s'exclama :

— Être enfermée dans un couvent ! Plutôt mourir !

— Voyons, demoiselle, le couvent est un endroit de calme et de prière. Vous y serez parfaitement bien et l'on vous y instruira dans la religion catholique, plaida le marquis.

Ma mère s'était rapprochée d'Héloïse comme pour empêcher qu'on l'emmenât de force et se lamenta :

— Elle est de santé fragile... elle a besoin de soins constants et... si vous nous la laissez, nous vous promettons de la conduire à la messe et de lui faire apprendre le catéchisme.

Le marquis réfléchit en se frottant le menton de la main. Alors, consciente de me sauver moi tout autant qu'Héloïse, je lançai :

— J'irai au couvent à la place d'Héloïse.

— Il n'en est pas question, puisque je vous épouse, grogna le marquis.

— Iriez-vous contre les ordres du Roi ? lui dis-je.

Il me foudroya d'un regard glacial et grommela :

— Dans ce cas..., dit-il, allons-y.

— Quoi, déjà ! souffla ma mère.

— Ce sont les ordres du Roi, répéta-t-il en me fixant pour bien me montrer qu'il me rendait la monnaie de ma pièce.

Les sanglots de ma mère et ma sœur redoublèrent. Je ne pleurai point. Pour ne pas faiblir et pour ne pas donner le spectacle de ma détresse à mon bourreau. De toute façon, le couvent me semblait préférable à un mariage contre mon cœur. J'allais monter dans ma chambre chercher quelques effets lorsque le marquis m'arrêta :

— Vous n'avez rien à emporter. Vous serez logée, vêtue, nourrie sans qu'il vous en coûte un sol, ce qui est une chance qu'il vous faut mesurer. Habituellement, seules les demoiselles ayant une dot peuvent entrer en religion. Sa Majesté, dans sa grande clémence, vous octroie un privilège qu'Elle n'accorde pas aux familles nobles romaines.

Son discours m'irritait.

Je serrai ma mère et ma sœur contre mon cœur et leur chuchotai à l'oreille :

— Je reviendrai.

C'est ce que je me disais pour atténuer ma peine. Bourg-Saint-Andéol n'était pas loin et je me promettais de m'en évader pour rejoindre ma famille et fuir en Suisse.

Mon père me baisa le front et me dit :

— Courage, Charlotte, je ferai tout ce qui est en mon pouvoir pour vous aider.

Simon, maladroit et gêné, ne desserra pas les dents, mais je lisais le désarroi sur son visage.

Le marquis me fit monter en croupe devant lui et nous partîmes pour le couvent, escortés par les soldats qui nous attendaient un peu plus loin.

Devant le couvent des visitandines, un groupe de filles, encadré par des hommes en armes, attendait. Le marquis m'aida à descendre de cheval mais je me dégageai rapidement de son étreinte. Ses mains sur ma taille me donnaient la nausée. Puis il s'avança vers une religieuse.

— Que se passe-t-il ? s'informa-t-il.

— Il se passe, monsieur, que les nouvelles converties nous sont envoyées de toutes parts et, malgré notre désir de les accueillir en notre sein, nous ne pouvons pas pousser les murs.

— N'y aurait-il pas de la place à Thueyts, à Montpezat ou à Viviers ?

— Non. Il n'y en a plus aucune dans notre province.

— Qu'allez-vous faire de toutes ces filles ?

— Nous les hébergerons quelques jours en attendant de leur trouver un couvent lointain ou une famille catholique qui les prendra comme domestiques.

Je n'avais aucune envie de servir des papistes et encore moins de m'éloigner des miens, mais je craignais surtout que le marquis revienne à sa première idée et qu'il veuille m'épouser. Je lui jetai un regard inquiet qui ne sembla pas l'attendrir, car il enchaîna :

— Je vous laisse Charlotte de Lestrange. C'est la fille d'un ami récemment converti. Ne vous préoccupez pas de lui chercher une place, je m'en charge. Vous aurez de mes nouvelles sous peu.

Il remonta sur son cheval et me lança :

— À bientôt, demoiselle !

Il fouetta sa monture et disparut, me laissant au milieu de mes coreligionnaires[1] dont la plus jeune avait à peine sept ans et la plus âgée environ vingt-cinq. Les petites sanglotaient à fendre l'âme, les grandes les réconfortaient ou pleuraient avec elles. D'autres, le visage fermé, restaient dignes et calmes, supportant leur sort avec vaillance. Imaginer Héloïse parmi elles me fit frémir. J'étais heureuse d'avoir pris sa place.

Enfin, les portes du couvent s'ouvrirent et notre troupeau fut poussé sans ménagement à l'intérieur.

Le onzième jour, le marquis reparut.

— Voilà, me dit-il, vous avez une place à la Maison Royale d'Éducation de Saint-Cyr, à quelques lieues de Versailles.

— Quoi ! m'exclamai-je. Si loin !

Le marquis repoussa d'un geste agacé mon intervention et poursuivit :

— Être acceptée dans cet établissement est un honneur. Sa Majesté veut ainsi récompenser les

1. Personnes pratiquant la même religion.

familles qui, s'étant ruinées à son service, ne peuvent élever correctement leurs filles et les doter.

— Mais je suis huguenote, lui répondis-je, frondeuse.

— Vous ne l'êtes plus, répliqua-t-il excédé. Et dans cette maison, vous apprendrez à devenir une parfaite catholique. À vingt ans, le Roi vous dotera et...

— Et vous pourrez m'épouser avec sa bénédiction, c'est cela ?

— Exactement.

— Eh bien, n'y comptez pas ! dis-je en redressant le buste et le menton.

La mâchoire du marquis se crispa. Il me sembla même que sa main se retenait de me gifler.

— Une voiture vous attend pour vous conduire à Saint-Cyr. Je vous y escorterai personnellement.

C'est ainsi que je me retrouvai dans cette maison.

CHAPITRE 3

Je ne contai pas tout cela à mes amies de Saint-Cyr. Nous avions chacune un parcours et des soucis différents et il ne servait à rien que j'expose les miens dans le détail, étant la seule huguenote convertie de notre classe[1]. Je leur avais seulement dit que j'étais promise à mon cousin François sans leur préciser que c'était un serment entre nous et que cette promesse n'avait rien d'officiel. J'avais besoin d'imaginer notre union prochaine pour supporter de me plier aux rites de l'Église catholique et à cette vie de recluse que l'on m'imposait.

1. Dans la Maison Royale de Saint-Louis, construite à Saint-Cyr, les 250 élèves étaient réparties en 4 classes de 50 à 65 élèves distinguées par une couleur. Dans la classe rouge, les élèves avaient entre 7 et 10 ans ; dans la classe verte, entre 11 et 14 ans ; dans la classe jaune, entre 15 et 16 ans ; dans la classe bleue, entre 17 et 20 ans.

Je rêvais du moment où je quitterais enfin cette maison pour rejoindre François. Notre séparation avait exalté l'amour que je lui portais. Je ne doutais pas qu'il en fût de même de son côté. Je lui avais écrit trois fois puisque nous n'avions le droit qu'à une lettre par an pour les membres de notre famille et encore, ne pouvant lui écrire directement, sa sœur Irénée m'avait servi d'entremetteuse. Elle ne m'avait répondu qu'une seule fois et bien qu'ayant cherché entre les lignes quelques allusions aux sentiments de son frère à mon égard, je n'avais rien trouvé. Je demeurais persuadée qu'elle m'avait envoyé d'autres courriers que la mère supérieure avait interceptés.

L'amitié qui me lia à Hortense, Louise et Isabeau m'aida à supporter cette vie de recluse. Puis les répétitions d'*Esther*[1], la pièce écrite pour nous par M. Racine et les représentations devant le Roi et la Cour rompirent quelque temps la monotonie de mon existence. Cela n'aurait pu être qu'un divertissement sans aucune conséquence. C'est ce qu'avait prévu Mme de Maintenon. Il n'en fut rien.

C'est à cette occasion que je fis la connaissance de Marguerite de Caylus, la jeune nièce de Mme de Maintenon. Elle ne vivait pas avec nous mais elle

1. Voir le tome I, *Les Comédiennes de monsieur Racine.*

jouait dans la pièce et comme elle était très bavarde, elle nous rapportait tous les potins de la Cour. Son air de liberté me séduisit et me fit d'autant plus mal supporter mon enfermement. Je rêvais de marcher dans les jardins de Versailles, de participer à des fêtes somptueuses, de danser au son des violons, de porter de belles robes, des bijoux, de côtoyer de beaux gentilshommes, de goûter à l'existence dorée que nous vantait Marguerite.

Honteusement, je dois l'avouer, je me disais que puisqu'on m'avait obligée à abjurer ma religion pour adopter celle du Roi, je devais bien recevoir une compensation et cette compensation me semblait être une vie de joie, de liberté et de plaisir, et non une vie de nonne. Je voyais cela comme une sorte de vengeance : on m'avait éloignée des miens pour que je me conforme à un modèle contraire à mon éducation, eh bien, j'allais en profiter au-delà de leurs espérances et, après quelques mois à la Cour, j'irais rejoindre François et ma famille.

Je savais que ce ne serait pas simple. Huguenote convertie, je n'avais plus le droit d'entretenir de relations avec ceux de ma religion et je m'exposais à la prison en tant que relapse[1] si l'on me surprenait à faire un pas vers mon ancienne religion.

1. On appelle relaps(e) celui (ou celle) qui est retombé(e) dans le péché de son ancienne religion.

Pourtant, il me tardait de revoir ma mère et Héloïse dont, curieusement, je n'avais aucune nouvelle depuis mon entrée à Saint-Cyr. Lorsque mon père et mon frère étaient venus me rendre visite, une religieuse avait assisté à notre entretien et, n'ayant pas pu parler librement, ils avaient prétexté que ma mère était souffrante. Cela ne m'avait pas convaincue. Ma mère était de santé robuste. Par contre, Héloïse était fragile et je m'étais étonnée que ce ne fût pas elle la malade. Mon père avait sans doute voulu me signaler ainsi un problème familial que je n'avais pas réussi à décrypter. Héloïse était-elle enfermée dans un couvent ? Avait-elle épousé contre son gré un vieux barbon catholique ? Ma mère en était-elle tombée malade de chagrin ? J'émettais de nombreuses hypothèses qui toutes m'inquiétaient.

J'espérais que Simon, mon frère, m'aiderait à les résoudre. J'avais eu la surprise de le voir à Saint-Cyr lors des représentations d'*Esther* et plus encore de le voir s'éprendre d'Hortense. Mais puisqu'il était au service de M. de Pontchartrain, il vivait dans l'entourage du Roi et je le rencontrerais certainement à Versailles pour lui poser les questions qui me taraudaient. Pour cela, il me fallait quitter cette maison.

Je me décidai à en parler à Marguerite de Caylus après la dernière représentation d'*Esther*. Cependant, je ne lui révélai pas toutes mes motivations. Elles me semblaient par trop personnelles et je ne connaissais pas encore assez bien Marguerite pour lui faire une confiance aveugle. Je ne lui annonçai que la première partie de mon projet. À savoir : mon désir de découvrir la vie à la Cour.

Aussitôt, elle éclata de rire.

— Je l'aurais parié ! lança-t-elle. Il y a longtemps que j'ai compris que vous n'aviez pas le caractère docile qui convient aux demoiselles de Saint-Cyr. Comme moi, vous avez l'âme rebelle et cela me plaît.

Ma requête ne l'offusqua pas et cela me soulagea. Elle poursuivit :

— Plusieurs fois, j'ai vu des étincelles s'allumer dans votre regard lorsque je parlais des divertissements de Versailles ou de Marly.

— Oui. Vous m'avez fait rêver... Et c'est grâce à vous que mon projet est né.

Elle posa une main sur mon bras comme pour arrêter les remerciements qui naissaient sur mes lèvres et reprit :

— Nous nous ressemblons. Nous aimons trop la vie pour accepter qu'elle soit monotone. Enfant, moi aussi j'étais huguenote, mais la messe est si belle et si fastueuse que je me suis convertie pour continuer à profiter de ce beau spectacle et je ne le regrette pas... et puis c'est la religion du Roi et la vie à la Cour est si plaisante !

Je n'eus pas l'aplomb de lui dire que ma conversion ne me satisfaisait pas et que mon vœu le plus cher était d'épouser un huguenot. Plus tard, peut-être.

— Mais comment quitter Saint-Cyr ? Vous savez bien que si je m'enfuis, je n'aurai pas un sol pour subvenir à mes besoins et que j'en serai réduite à mendier mon pain pour ne pas mourir de faim.

J'ajoutai plus bas, un peu honteuse de ma faiblesse :

— La misère ne me tente pas.

Marguerite de Caylus éclata à nouveau de rire. J'eus peur un instant qu'elle n'attire l'attention de mes compagnes et des maîtresses chargées de nous surveiller après la représentation. Heureusement, nous nous étions isolées dans le couloir conduisant à la chapelle qui, à cette heure, était vide.

— Qui parle de misère ? Au contraire, c'est le luxe que je vous offre. Il y a prochainement une grande fête à Versailles et je vous promets que vous en serez.

Je n'en crus pas mes oreilles et j'insistai bêtement :

— Moi ?

— Oui, vous.

— Mais pourquoi ?

Elle se pencha vers moi et me susurra à l'oreille :

— Parce qu'il est follement excitant de réussir à vous sortir de votre couvent à la barbe de ma tante qui rêve de faire de vous une parfaite dévote.

Marguerite surprit le sourire qui se forma sur mes lèvres à cette confidence, elle me tapota le bras de son éventail et continua gaiement, certaine que je l'approuvais :

— Il me plaît de guider vos premiers pas à la Cour et de vous faire goûter à tous nos divertissements.

Soudain, la réalité de ma situation me frappa et, montrant ma tenue, je lui dis :

— Ainsi vêtue... à la Cour ?

Elle gloussa encore de rire. Elle m'avoua plus tard que ma naïveté l'avait beaucoup amusée et que c'était de me « dégrossir » et faire de moi une parfaite courtisane qui l'avait séduite.

— Ne vous inquiétez de rien. Vous serez parée comme une marquise. Tenez-vous mercredi en huit à vingt heures à la porte de Saint-Cyr. Je viendrai vous y prendre.

J'aurais pu m'inquiéter de savoir comment il me serait possible de quitter la maison à une heure pareille et comment elle viendrait me chercher à la porte du parc sans se faire remarquer. Cela ne m'est même pas venu à l'esprit, tant j'étais heureuse de partir. Je savais que je franchirais tous les obstacles pour la retrouver, parce que la vie dans la Maison Royale de Saint-Louis m'était devenue insupportable.

Malheureusement, mon évasion fut reportée. La dauphine Marie-Anne de Bavière mourut le 21 avril 1690 et je n'eus pas besoin de Marguerite pour deviner que la fête serait annulée. Ensuite, je jouai de malchance. Nous étions en guerre. Le roi avait fait fondre sa vaisselle d'argent et de vermeil. Tables, guéridons, coffres, chandeliers, miroirs, seaux, plats, balustrades avaient disparu dans le creuset des fondeurs pour aider à l'effort de guerre. À Saint-Cyr, nous priions pour la victoire et la paix.

Dieu entendit nos prières car nos troupes, commandées par le maréchal de Luxembourg, remportèrent, le 30 juin 1690, la victoire de Fleurus.

Quelques jours plus tard, Marguerite, venue assister aux vêpres à la chapelle de Saint-Cyr, murmura en passant devant moi :

— Une fête aura lieu le 5 pour fêter la victoire. Soyez prête.

— Enfin, soupirai-je.

CHAPITRE 4

Je m'étais juré de garder mon départ prochain secret, mais, trop excitée, je ne pus tenir ma langue et l'annonçai un soir à Hortense et Isabeau alors que nous étions toutes les trois dans le même lit pour bavarder à notre aise. Louise ne fut pas au courant de ma décision, elle venait de partir au château de Saint-Germain pour charmer de sa voix d'ange le roi Jacques II d'Angleterre et la reine Marie[1].

De nature sage et réservée, mes amies essayèrent de me dissuader de commettre cette folie. Mais ma décision était prise et rien ni personne ne pouvait l'infléchir.

1. Voir le tome 2, *Le Secret de Louise.*

Le soir venu, je me couchai comme les autres après avoir récité la prière et relevé mes cheveux dans une bande de toile. Une heure plus tard, la cloche sonna la retraite à la chapelle et les lumières s'éteignirent. C'était le moment.

Je quittai mon lit et ne m'habillai point. Je ne voulais rien emporter qui soit à cette maison afin qu'on ne me reprochât pas d'être une voleuse. J'avais parfaitement conscience que mon départ était définitif. Si l'on choisissait de fuir Saint-Cyr, c'était sans espoir de retour. En chemise et pieds nus, je sortis du dortoir. Isabeau et Hortense, les yeux embués de larmes, m'adressèrent un signe de la main. Je ne leur répondis pas. Non par méchanceté, mais parce que je voulais éviter de m'attendrir. Ce n'était pas le moment de flancher. J'avais le sentiment que mon destin était en train de se jouer et une douleur me broyait le ventre.

Je descendis sans bruit les deux étages conduisant au rez-de-chaussée. Par chance, la lune entrant par les vastes fenêtres éclairait l'escalier, m'évitant de trébucher. Le parcours le moins risqué me conduisit à sortir par la petite porte des cuisines donnant sur l'arrière du bâtiment. Je tournai l'énorme clef restée dans la serrure et je poussai la porte. Le bruit qu'elle fit en s'ouvrant me parut énorme dans le silence aussi je ne m'attardai pas et je courus le plus vite possible pour traverser la cour exposée à tous les regards et me mettre à l'abri derrière les haies du jardin. Là, à bout de souffle, à bout de nerfs, je m'accordai quelques minutes de répit. Je guettai derrière les fenêtres l'ombre d'une maîtresse insomniaque contemplant le jardin. Mon cœur battait la chamade. Non, rien. Tout le monde dormait... hormis sans doute Hortense et Isabeau.

Je repris ma course.

Je me faufilai entre les ifs, les massifs de fleurs et les arbres. Une pierre saillante m'écorcha le pied. Je regrettai de n'avoir pas mis de souliers. Plus loin, je trébuchai sur une souche et je m'affalai de tout mon long en poussant un cri. Je me relevai aussitôt, l'oreille aux aguets. Mais aucun bruit suspect ne m'alerta. Ma chemise était maculée de terre et j'avais un genou en sang.

Mon évasion commençait mal.

Si, par malheur, Marguerite n'avait pas tenu sa promesse... si le carrosse n'était pas là... je n'aurais pas eu la force de regagner cette prison. Je serais quand même partie. À Paris, j'aurais déniché une place de femme de chambre ou de domestique... à moins qu'un théâtre ambulant ne m'ait engagée puisque je savais jouer la comédie. Mais en chemise... et dans mon état, on m'aurait prise pour une mendiante ou pire, j'aurais fini dans une prison. Une vraie cette fois.

Je pestai contre mon insouciance, ma maladresse, la maison de Saint-Cyr, tout en continuant à avancer dans la nuit.

Enfin, haletante, j'arrivai à la porte donnant accès au petit parc.

Le carrosse était là.

Marguerite ouvrit la portière et, m'apercevant en chemise, s'esclaffa :

— Si je ne vous connaissais pas, je croirais voir une sorcière venue danser sous la lune pour le sabbat ! Montez vite, vous allez attraper la mort !

Le cocher fouetta ses chevaux et nous nous éloignâmes rapidement de la Maison Royale. Mme de Caylus me donna une longue cape et me conseilla d'en rabattre le capuchon sur mon visage lorsque nous arriverions à Versailles.

— À Versailles ? m'exclamai-je. Dans cette tenue !

— Justement, je vous conduis à mes appartements pour que vous en changiez. Mais d'ici là, il ne faut point que l'on vous aperçoive pour ne pas avoir à inventer je ne sais quel conte qui justifierait votre accoutrement.

Quelques minutes plus tard, nous pénétrions dans l'appartement de Mme de Caylus. Trois pièces étroites au dernier étage. Mon visage devait marquer mon étonnement car la jeune comtesse m'expliqua :

— À Versailles, il n'y a que le Roi qui ait de grands espaces. Le château, quoique vaste, a du mal à contenir la famille royale et toute la noblesse venue faire sa cour. Et j'avoue être bien aise de disposer de cet endroit avec tous les avantages que cela comporte quand beaucoup de nobles doivent payer pour se loger et se nourrir en ville.

Puis, s'adressant à une femme de chambre rougeaude et dodue debout dans le fond de la pièce, elle lui dit :

— Hâtez-vous de m'apprêter, nous sommes déjà en retard. Et où est Suzon ? Elle devrait déjà être là pour aider Mlle de Lestrange.

— Elle arrive, Madame.

À cet instant, la porte s'ouvrit sur une soubrette guère plus âgée que moi tenant dans ses bras du linge et une robe de soie verte dont un pan traînait sur le sol.

— Faites attention, Suzon, l'étoffe est en train de balayer la poussière ! gronda Marguerite.

La jeune fille rougit, m'aperçut, s'étonna sans doute de ma tenue, hésita sur l'attitude à adopter puis plongea dans une sorte de petite révérence qui précipita à nouveau le tissu sur le sol. Je souris. Soulagée de ne point être grondée, elle sourit à son tour et me dit :

— Si Mademoiselle veut bien me suivre derrière le paravent.

— Suzon va s'occuper de vous pendant que je me change, m'annonça Marguerite.

Intriguée et curieuse, la soubrette chuchota :

— J'espère, Mademoiselle, qu'il ne vous est rien arrivé de fâcheux.

— Non point. Au contraire. Je commence ce jour d'hui une nouvelle vie.

— À la bonne heure ! Cependant, je ne peux passer vos bas... car, sauf votre respect, vous voilà bien crottée !

Libérée de la tension nerveuse qui m'avait tordu le ventre quelques heures plus tôt, j'éclatai de rire. Marguerite m'entendit et lança :

— Je suis heureuse de votre bonne humeur.

Suzon alla quérir un linge et une bassine d'eau pour me laver les pieds, les genoux, les mains et le visage, puis elle m'aida promptement à me vêtir : bas, corset, jupons et une superbe robe de soie vert sombre. Une dentelle ornait le décolleté profond et les manches. Je n'avais jamais porté quelque chose d'aussi luxueux. Bientôt, elle me coiffa, remonta ma chevelure, la poudra abondamment, y planta des rubans, après quoi elle m'enduisit le visage de crème, me posa du fard sur les joues et les lèvres, me colla une mouche à côté du nez et m'enveloppa d'un nuage de parfum.

— Vous êtes absolument charmante ! me dit Marguerite de Caylus qui surgit derrière moi, vêtue d'une somptueuse robe pourpre brodée de perles.

Le miroir que me tendit Suzon me renvoya l'image d'une parfaite courtisane et j'eus du mal à reconnaître la demoiselle pauvre, élevée par charité dans la Maison Royale. Je sentis des ailes me pousser dans le dos. J'avais envie de dévorer la vie et d'oublier à jamais la tristesse et la pauvreté.

— Vous allez faire tourner bien des têtes, reprit Marguerite.

Un peu déboussolée par sa repartie, j'assurai :

— Ce n'est pas ce à quoi j'aspire. Je suis déjà promise. Je veux seulement m'étourdir de musique, de rires, de danses et de sucreries.

— Vous aurez tout cela. Afin que notre plan se déroule au mieux, je vous ferai passer pour une de mes cousines arrivant du Limousin.

— Oh, que c'est excitant !

— Cela m'amuse aussi beaucoup. Toutefois, il sera préférable de ne pas croiser le chemin de Mme de Maintenon, qui ne manquerait pas de vous reconnaître. Mais elle goûte peu les divertissements et ne fera probablement qu'une apparition polie.

— S'agit-il d'une grande fête ?

— Hélas ! le deuil de la Dauphine est encore très présent et la fête n'aura pas le lustre de celles d'autrefois. Cela est fort dommage. Depuis quelques années, on s'ennuie à la Cour.

— Vraiment ?

— En prenant de l'âge, notre Roi devient trop sage. Il ne fait plus donner d'opéras, ni de comédies, et le dernier grand carrousel date de quatre ans ! On m'a raconté que lorsqu'il était jeune, les fêtes duraient au moins six jours et, en été, elles duraient tout un mois. Venez, hâtons-nous, sinon nous allons rater celle-là et je ne me le pardonnerais pas !

CHAPITRE 5

La fête battait son plein lorsque le carrosse nous déposa dans l'allée Royale où une foule considérable se pressait autour des loteries et des boutiques d'étoffes et de bijoux.

— Comme c'est curieux ! m'étonnai-je devant ces maisonnettes de bois décorées de branchages, de fleurs, éclairées de centaines de bougies.

— C'est un des attraits de ces fêtes. Les boutiques sont tenues par des dames de la noblesse qui se plaisent à jouer aux marchandes. Quant aux loteries, c'est le roi qui pourvoit aux lots et ils sont toujours fort beaux. Il y a souvent des dentelles au point de France, des étoffes de soie, des tabatières précieuses, des peignes sculptés et parfois des bijoux.

Encouragée par Marguerite, je jouai, et alors qu'elle ne gagnait qu'un éventail j'eus la surprise en ouvrant mon paquet de découvrir une superbe paire de boucles d'oreilles de diamants.

Autour de moi, on loua ma bonne fortune et on s'extasia sur mon gain. Je fus étonnée et un peu gênée d'attirer ainsi l'attention sur moi qui n'étais rien et qui faisais mes premiers pas à la Cour.

À cet instant, une femme vêtue à la façon d'une paysanne, un masque de velours noir cachant le haut de son visage, s'approcha de nous :

— La bonne aventure ? demanda-t-elle.

Je l'ignorai. Ces pratiques de sorcellerie me déroutaient et qu'elles fussent tolérées dans les jardins mêmes de Versailles me surprit. Mais Marguerite m'expliqua à mi-voix :

— Ne craignez rien. Derrière ce masque se cache la duchesse de Mirepoix. Elle prétend connaître l'avenir... En fait, elle a le cerveau un peu dérangé... mais comme elle est l'épouse d'un homme que le Roi apprécie et qu'elle n'est pas méchante, Sa Majesté accepte qu'elle joue les devineresses pour mettre du piment dans les fêtes.

Avant que j'aie pu répliquer, la duchesse me prit la main, en étudia les lignes avec sérieux puis lâcha :

— Heureuse au jeu, malheureuse en amour.

Marguerite éclata de rire et se moqua :

— Pas besoin d'être magicienne pour dire cela, cet adage est connu de tous !

Je souris. Mais sans se départir de son calme, la duchesse répéta :

— Heureuse au jeu, malheureuse en amour.

Mon sourire se figea. Et si cette femme avait vraiment le don de lire l'avenir ? Il y avait si longtemps que je n'avais pas revu François qu'il m'avait peut-être oubliée ?

— Voyons, duchesse, arrêtez de dire des âneries qui font peur aux jouvencelles ! s'exclama un jeune homme au visage agréable.

— Quant à moi, reprit un autre en m'enserrant la taille, je veux bien faire mentir l'adage !

Quelques rires éclatèrent.

— Voyons, monsieur le duc, gronda Mme de Caylus, vous effrayez ma jeune cousine peu habituée aux façons de la Cour.

— Mais je suis prêt à lui faire découvrir tous les plaisirs de cette Cour, insista le gentilhomme.

Un cercle de curieux qui grandissait de minute en minute s'était formé autour de nous.

Soudain, il me sembla apercevoir... Les battements de mon cœur s'accélérèrent. Non, ce n'était pas possible !

À ce moment-là, Marguerite saisit mon bras et lança assez fort pour vexer les gêneurs :

— Venez ma cousine, ne vous laissez pas impressionner par ces manières de rustres.

Et je perdis de vue la silhouette aperçue... Je m'étais sans doute trompée.

Marguerite m'entraîna vers le bosquet de la salle du Conseil, mais le souper qui y était servi était terminé. Les bougies des cent girandoles de cristal continuaient de se consumer et d'éclairer les tables où quelques convives finissaient de piller une montagne de viande froide, un château de massepain et de pâte sucrée, ainsi qu'une pyramide de confitures sèches et de caramels.

La déception dut se lire sur mon visage car Marguerite me dit :

— Ne vous désolez pas, ma chère, nous avons raté le souper, mais une collation sera servie plus tard dans la ménagerie et puis il y aura médianoce[1].

En passant, Marguerite piqua du bout des doigts un caramel. J'en fis autant, mais je mourais d'envie de dévorer toutes ces douceurs dont je ne connaissais ni le goût ni le nom.

Une musique nous attira vers le Grand Canal et nous suivîmes la foule qui s'y rendait. Certains se déplaçaient en chaise à porteurs et il y avait tant de monde qu'il fallait faire attention à ne pas se laisser marcher sur les pieds. L'allée était éclairée

1. Repas servi après minuit.

par des valets tenant des torches à bout de bras et l'on y voyait presque comme en plein jour. Cela m'enchanta et m'effraya un peu...

Marguerite, à cent lieues de mes préoccupations, me dit :

— Le Roi doit embarquer pour une promenade en musique. C'est un de ses grands plaisirs. M. Lully a composé plusieurs morceaux spécialement pour ces occasions.

Rompue à ce genre d'exercice, Mme de Caylus jouait des coudes pour avancer plus rapidement.

— Dépêchez-vous, si nous voulons avoir de la place en gondole pour la traversée !

Les souliers qu'elle m'avait prêtés me blessaient et les coups d'œil craintifs que je lançais autour de moi m'empêchaient d'aller aussi vite qu'elle.

Tout à coup, je trébuchai. Mes bras battirent l'air et s'accrochèrent à un habit. Une main me retint fermement. « Malheur à moi, pensai-je, c'est lui ! » Mais une voix douce me rassura :

— Eh bien, on peut dire que j'arrive au bon moment !

Je levai les yeux vers mon sauveur.

Il avait ôté son chapeau et me souriait d'une manière tout à fait charmante. C'était un homme d'une trentaine d'années au visage sans fard et assez avenant. Son justaucorps était de bonne étoffe mais sans excès de dentelle et de broderie, ce qui me fit penser qu'il n'était ni duc ni marquis.

— Nicolas Coustou, pour vous servir, me dit-il en s'inclinant légèrement.

J'avais vu juste. Il n'était point noble. Dans ce cas, comment se faisait-il qu'il soit invité à un divertissement royal ? Je bredouillai :

— Merci, monsieur, sans vous, je tombais et...

Je cherchai Marguerite des yeux afin qu'elle me tire de cet embarras, mais la foule l'avait absorbée. J'ignorais comment me comporter avec cet homme qui ne semblait pas être un gentilhomme et qui n'était peut-être, après tout, qu'un laquais, un tire-gousset[1] ou un intrigant quelconque, à moins que, grand du royaume, il n'ait emprunté ce nom pour vivre cette fête incognito. Toutes ces hypothèses valsaient dans ma tête et me perturbaient... or je n'avais pas besoin de ce trouble supplémentaire. Lui ne paraissait pas s'apercevoir de mon embarras car il enchaîna :

— Me permettez-vous de vous offrir mon bras jusqu'au canal ?

Que répondre pour ne pas paraître mal élevée, trop prude ou au contraire dévergondée ?

J'hésitai. Marguerite n'étant plus avec moi, la perspective de demeurer seule dans cette foule

1. Voleur.

m'effrayait. Je levai à nouveau les yeux vers le visage penché vers moi et je n'y lus aucune fourberie. Je lui souris timidement et posai ma main sur son bras sans toutefois oser m'y appuyer. Je m'appliquai à marcher du même pas que lui, mais ce n'était pas aisé. Il était fort regrettable que l'on ne nous enseignât point cela à Saint-Cyr.

Marguerite surgit soudain devant moi lorsque nous arrivions devant le canal.

— Où étiez-vous donc passée ? me gronda-t-elle.

Puis, découvrant l'homme à mon côté, elle ajouta, méfiante :

— Je ne vous connais point, monsieur, et nous n'avons pas été présentés.

— Nicolas Coustou[1], je suis le neveu d'Antoine Coysevox dont Sa Majesté apprécie les sculptures. Il est mon maître dans cet art que j'exerce aussi.

— N'est-ce point vous que Sa Majesté a retenu pour sculpter les statues de son parc à Marly ?

— J'ai cet honneur.

— Et moi qui rêve de servir de modèle à un artiste ! Mon visage immortalisé dans le marbre sous les traits de Diane ou de Vénus et que chacun pourrait contempler sans qu'il ne s'altère jamais, rien ne pourrait me causer plus de joie !

1. Nicolas Coustou (1658-1746), sculpteur. Il est l'auteur, entre autres, de la célèbre sculpture des *Chevaux de Marly* dont on peut voir une reproduction au-dessus de l'Abreuvoir à Marly.

— J'y songerai, madame.

— Eh bien, puisque vous êtes en bonne compagnie, je vous laisse, je monte dans la galère de madame la duchesse. Nos mots d'esprit amusent tout le monde et c'est un divertissement sans égal que de médire à voix basse des uns et des autres.

Affolée à la perspective d'être abandonnée dans cet univers inconnu, grouillant et hostile, je balbutiai :

— Mais... non... je...

— Ne vous inquiétez pas, nous prendrons une autre embarcation, m'assura M. Coustou, et s'il n'y a plus de place sur les gondoles ou les galères, nous prendrons une barque et j'en tiendrai les rames.

À l'embarcadère, tout le monde se pressait, se bousculait, oubliant politesse et civilité pour avoir l'avantage de traverser le canal avec le Roi, de l'apercevoir de plus près, d'être vu de lui et d'ouïr la musique de Lully jouée par les musiciens installés sur une barque qui suivait celle du Roi. Les gondoles étaient prises d'assaut et les gondoliers, d'authentiques Vénitiens, avaient bien du mal à empêcher que leurs embarcations ne chavirent. Les galères dorées, aux cordages de soie et aux étendards brodés d'or embarquaient plus de passagers que de raison. Toute la noblesse voguait derrière le Roi en direction de la ménagerie. Plus une embarcation n'était à quai. J'étais affreusement déçue.

Tout à coup, une voix masculine nous interpella :

— Hep ! Venez par là ! Je vais vous conduire.

Un gentilhomme, debout sur une chaloupe abondamment décorée de fleurs et de guirlandes où avaient déjà pris place plusieurs personnes, nous fit signe d'approcher. Mon chevalier servant l'interrogea :

— Holà, monsieur, savez-vous au moins conduire une barque ?

— Vous m'insultez, monsieur. Je suis le chevalier Claude de Forbin, j'ai combattu en Flandre et aux Antilles et j'ai servi sous Vivonne et d'Estrée à Toulon et à Brest. Les navires n'ont pas de secret pour moi.

— Je vous prie de bien vouloir m'excuser, monsieur le comte. Je ne vous avais point reconnu.

Pendant la discussion, je détaillai le chevalier. Il me sembla être dans la trentaine. Il était agréable de visage et bien proportionné. Auréolé de la gloire que confèrent les faits d'armes, il était assez séduisant.

Je lui souris.

Il me tendit la main pour m'aider à monter à bord.

Nicolas Coustou, peut-être vexé que M. de Forbin ne lui demandât pas son avis avant de m'embarquer, ou déçu de ne plus être le seul à me prodiguer des galanteries, sauta dans le bateau pour que j'admire son agilité et manqua nous faire chavirer.

Effrayée, je poussai un cri strident.

— Ce n'est point ainsi que l'on met pied sur un bâtiment, grogna le chevalier.

— Je suis plus à l'aise avec un marteau, un burin et du marbre qu'avec une barque, se défendit le sculpteur.

— Ah, vous êtes artiste ? répliqua le chevalier, du dédain dans la voix.

La conversation s'engageait mal et je n'avais pas envie que ma soirée fût gâchée par une rivalité entre deux hommes qui ne m'étaient rien. Cherchant un dérivatif, je questionnai M. Forbin :

— Et que nous vaut le plaisir de vous voir à Versailles ?

— Je reviens du siège d'Alger où, grâce à notre intervention, nous avons pu faire libérer trente mille captifs chrétiens.

— Voilà qui vous honore, lâcha Nicolas du bout des lèvres.

J'étais de plus en plus mal à l'aise. Encore une chose que l'on ne nous apprend pas à Saint-Cyr : comment se comporter avec deux hommes aussi charmants l'un que l'autre mais qui, visiblement, ne s'apprécient pas.

Nous étions à peine à quelques mètres du rivage, lorsque je vis, debout sur l'embarcadère, celui que j'avais cru apercevoir quelques instants plus tôt. C'était lui. J'en étais certaine et je murmurai :

— Mon Dieu, je suis perdue !

CHAPITRE 6

Ma pâleur soudaine n'échappa pas aux deux gentilshommes.

— Que vous arrive-t-il ? s'enquit M. de Forbin.

— Le mal de mer, sans doute ? émit M. Coustou.

— Sur un canal ? Vous déraisonnez.

— Alors, la fatigue d'une trop longue station debout...

Le chevalier haussa les épaules. Décidément, ces deux-là n'étaient jamais d'accord et leur petit jeu m'aurait amusée si je n'avais été en proie à une si terrible angoisse : je venais de voir le marquis de Réaumont.

Ce n'était point le lieu pour leur conter ma vie. Nous n'étions pas seuls sur cette embarcation et je ne tenais pas à exposer mes problèmes à toutes les oreilles.

— Voyons, parlez, insista le sculpteur.

— C'est que j'ai vu... sur le bord du canal un homme qui... que...

— S'il vous a manqué de respect, je le passe au fil de mon épée ! s'enflamma le chevalier.

— Non point... enfin... il... il veut m'épouser et...

— Et vous ne le voulez pas pour mari, termina M. Coustou.

C'était un résumé très court de ma situation, mais suffisant pour l'instant.

— Mais aussi, gronda M. de Forbin, je m'étonne que vos parents vous laissent sortir sans chaperon.

— Je... je n'ai pas mes parents et Marguerite de Caylus... heu, ma cousine, était mon chaperon mais elle a été invitée sur la gondole du Roi et m'a, je le crains, oubliée.

— Eh bien, demoiselle, si vous le permettez, je vous escorterai dans les allées de Versailles qui, à ce que l'on raconte, ne sont pas sûres du tout lorsque autant de monde s'y promène, me proposa galamment le chevalier.

— Je ne céderai pas le pas à M. de Forbin et nous serons deux pour assurer votre protection, m'annonça le sculpteur.

— Je vous remercie, messieurs, mais il se peut que mon frère Simon soit aussi de la fête et, si c'est le cas, je vous déchargerai de vous occuper de moi.

— Ce n'est point une charge, mais un plaisir, reprit le chevalier.

— Et un honneur aussi, continua le sculpteur.

J'esquissai un sourire. C'était la première fois que l'on me faisait la cour... et c'était fort agréable.

Nous débarquâmes bientôt devant un grand escalier de pierre et comme je m'étonnais qu'il n'y eût point d'autres embarcations amarrées et que je n'entendisse pas le cri des animaux de la ménagerie, M. de Forbin m'expliqua :

— La ménagerie est de l'autre côté, droit devant vous, mais comme nous étions les derniers, nous n'avons pas jugé bon d'y aller pour n'avoir que les reliefs de la collation.

— Oh, quel dommage ! J'aurais tellement voulu admirer les animaux. On dit que le Roi en possède d'extraordinaires.

— Si fait, j'y viens souvent pour croquer les lions et les tigres, dit M. Coustou. Ce sont des bêtes magnifiques et d'une telle puissance ! Si vous le souhaitez, je vous y accompagnerai prochainement pour que vous puissiez les contempler.

Ne voulant pas être en reste, le chevalier ajouta :

— J'ai moi-même rapporté à Sa Majesté deux caïmans que j'ai capturés dans l'île de Saint-Domingue.

M. Coustou me tendit la main pour m'aider à descendre de l'embarcation et je le gratifiai d'un sourire. Alors M. de Forbin, ne sachant que faire pour me servir, saisit une torche plantée dans la pelouse et l'approcha pour m'éclairer. Cette précaution n'était pas inutile car les jeunes laquais censés tenir les torches pour éclairer l'embarcadère s'étaient dispersés ici et là dans les jardins.

Sur les marches de l'escalier conduisant au parterre fleuri de Trianon, une bonne vingtaine de personnes qui avaient eu la même idée que nous devisaient agréablement. Une vague d'angoisse me submergea en pensant que le marquis était peut-être parmi eux. Mais je me rassurai. J'étais bien entourée et il n'oserait pas m'importuner.

— Nous sommes peu nombreux et dès que le Roi arrivera, nous pourrons lui adresser un compliment et présenter nos hommages à Mme de Maintenon. Ce sera une grande chance ! dit M. Coustou.

Aussitôt, je m'affolai :

— Oh, non... je... je ne dois pas être vue de Mme de Maintenon.

Mes deux amis s'adressèrent un coup d'œil étonné. Cette fois, leur curiosité était piquée et

M. Coustou chercha habilement à en savoir un peu plus sur mon compte :

— Voyons, mademoiselle, vous n'avez rien à craindre de Mme de Maintenon, surtout si vous êtes la cousine de Mme de Caylus qui est sa nièce préférée.

Leur avouer que je m'étais échappée de Saint-Cyr pour assister à une fête à Versailles m'aurait fait passer pour une écervelée. Leur dire que j'étais une huguenote convertie contre son gré aurait été dangereux sans connaître leur position sur la religion. Quant à leur parler de François que je rêvais de rejoindre, ç'aurait été risquer de perdre leur appui pour ce soir — ce qui aurait pu m'obliger à affronter seule le marquis.

Je leur jouai donc une petite comédie pour me sortir de cette mauvaise situation. Après avoir poussé un énorme soupir, je murmurai sur le ton de la confidence :

— Ah, messieurs, la vie est parfois cruelle... Cet homme que je déteste et qui veut m'épouser est... l'ami de Mme de Maintenon. Elle appuie sa demande et me pousse à céder...

— Hélas ! les demoiselles ne sont pas souvent maîtresses de leur destin, souffla le sculpteur.

— Si cette union vous répugne, il faut fuir, vous cacher..., me conseilla le chevalier.

— Et pour aller où, monsieur ? Je ne connais personne et je n'ai personne pour me soutenir dans cette entreprise...

Soudain, un homme dévala les marches de pierre à notre rencontre, faisant s'envoler son chapeau dans sa course. Je le distinguais mal dans la nuit et je pensai : « Le marquis ! »

Aussitôt l'angoisse me fit battre le cœur et je me rapprochai du chevalier, imaginant qu'un homme de guerre saurait plus efficacement me protéger qu'un sculpteur.

— Charlotte ! Vous ici ?

— Simon ! m'exclamai-je en me jetant dans ses bras.

— J'ai eu du mal à vous reconnaître... vous voilà transformée... Mais comment se fait-il que vous soyez ici, à Versailles ? Je vous croyais à Saint-Cyr. Vous aurait-on accordé la permission de sortie et Hortense est-elle aussi de la fête ?

Interloqué par cette révélation, M. Coustou me demanda :

— Vous êtes une demoiselle de la Maison Royale d'Éducation ?

À moitié morte de honte de leur avoir menti, je soufflai :

— Oui.

M. de Forbin éclata d'un rire tonitruant et en conclut :

— Et vous vous êtes enfuie ?

Je hochai la tête.

— Comme je vous comprends ! Il me serait bien impossible de rester enfermé en un lieu plus de quelques jours.

— Voilà donc pourquoi vous ne souhaitez pas rencontrer Mme de Maintenon, poursuivit M. Coustou, eh bien, nous vous cacherons aux yeux de cette dame.

Le sourire me revint alors que Simon s'impatientait et me répétait :

— Hortense est avec vous ?

— Non point. Je suis partie seule avec l'aide de Marguerite de Caylus... parce que la vie à Saint-Cyr m'était devenue insupportable.

Simon me prit alors par le bras et s'emporta :

— Vous rendez-vous compte des graves conséquences que votre attitude futile peut avoir !

Le chevalier de Fortin s'interposa et rembarra mon frère vertement :

— Voyons, monsieur, ce ne sont pas là des manières de gentilhomme !

— Laissez, cela ne vous regarde en rien. Ma sœur a agi comme une égoïste et une écervelée. Son geste est totalement irresponsable et n'est pas digne de notre famille.

— Elle est si jeune, plaida M. Coustou.

Je réussis à bredouiller :

— Quelles... conséquences ?

— La surveillance à Saint-Cyr sera renforcée. Je risque d'être soupçonné de vous avoir aidée à fuir et l'on m'interdira à l'avenir d'approcher cette maison... et si je ne peux plus apercevoir Hortense, même de loin... ce sera trop cruel...

— Vous me voyez désolée, mais il est vrai que je n'ai pas pensé que ma fuite allait vous porter préjudice.

Mon frère s'emporta à nouveau :

— Vous auriez dû partir avec elle !

— Hortense est très éprise de vous, mais elle n'a pas l'âme rebelle. La vie à Saint-Cyr lui convient et elle saura attendre ses vingt ans pour obtenir la dot royale et vous épouser.

— Certes, elle n'a pas votre fichu caractère ! Un instant, j'ai eu l'espoir que vous aviez toutes obtenu l'autorisation d'assister à cette fête, ce qui m'aurait donné le grand bonheur de voir celle qui est chère à mon cœur.

— Hélas ! mon ami, les portes de cette maison se sont ouvertes une ou deux fois pour que nous puissions répéter *Esther* à Versailles en présence du Roi, mais je crains qu'elles ne se soient définitivement fermées sur les demoiselles qui y demeurent.

— Ce n'est pas possible ! Jamais je n'aurai la patience d'attendre encore quatre ans !

— Il le faudra bien.

Simon soupira et sa colère à mon égard s'apaisa. À présent que nous avions abordé le sujet qui le touchait, je le questionnai sur celui qui me tenait à cœur :

— Vite, donnez-moi des nouvelles de mère, d'Héloïse et de François.

— Hélas..., murmura-t-il.

Mon cœur, cette fois, cessa de battre tant il pressentait une catastrophe. Cependant, Simon hésitait à parler en présence de mes chevaliers servants.

M. Coustou le devina et lui dit :

— Monsieur, puisque vous avez à discuter de choses familiales, je me retire, mais sachez, mademoiselle, que je suis votre serviteur.

— Moi de même, ajouta M de Forbin. Je ne reprends la mer que dans quelques semaines et je vous offre mon aide et mon amitié.

J'eus un peu de peine à me séparer d'eux. J'avais apprécié leur charmant badinage et, entourée par leurs marques de prévenance, je me sentais en sécurité.

— Je vous remercie, messieurs, votre amitié me sera précieuse dans ce monde où je ne connais personne.

Ils s'éloignèrent en direction du Trianon et, pour retarder l'instant de la révélation de Simon que je pressentais douloureuse, je les suivis des yeux jusqu'au perron conduisant aux colonnes de marbre rose éclairées de centaines de bougies. Puis, prenant mon courage à deux mains, je lâchai :

— Alors ?

— Mère et Héloïse n'ont pas voulu renoncer à la religion calviniste. Une nuit, elles ont fui en Suisse. Un passeur s'est engagé, pour une somme importante, à leur faire franchir la frontière sans encombre.

— C'est donc pour cette raison que mère était absente lors de la visite que vous m'avez rendue avec père à Saint-Cyr ?

— Oui. Mais nous ne pouvions pas vous en informer. Il faut que cet exil demeure secret si, nous qui nous sommes convertis, ne voulons pas être inquiétés. Pour tous, Héloïse est entrée au couvent et mère, très souffrante, ne quitte plus sa chambre.

— Et... elles vont bien ?

— Nous l'ignorons.

— Comment ? Vous n'avez aucune nouvelle ?

— Aucune. Nous ne savons même pas si elles sont arrivées à Genève ou si elles ont été arrêtées en route.

J'avais l'impression que mon sang se mettait à bouillonner dans mes tempes en même temps que mes mains se glaçaient. J'avais la gorge sèche et je ne parvins qu'à balbutier :

— Mais enfin... c'est impossible... Comment se fait-il que personne... Père n'a pas cherché à les retrouver ?

— Il nous est interdit de quitter la France, vous le savez bien, alors père a envoyé un billet codé à Genève chez les amis qui devaient les héberger. Elles n'y sont jamais arrivées.

Je poussai un cri.

— Ont-elles été emprisonnées ?

— Père a remué ciel et terre sans obtenir aucune réponse précise.

Je fondis en larmes. J'imaginais ma mère et ma fragile sœur dans l'humidité d'un cachot et cette vision était insoutenable.

Soudain, une solution m'apparut et je m'exclamai pleine d'espoir :

— Et François de Marquet ! Avez-vous fait appel à lui ? Il devait se rendre à Versailles au nom de l'Église protestante du Vivarais pour parler au Roi ! Lui saura quoi faire !

Simon pâlit à son tour et je le vis de plus en plus mal à l'aise. Je lui saisis les mains et les secouai en lui criant, la voix noyée de sanglots :

— Ne me dites pas qu'il est arrivé malheur à François !

— Il n'est pas reparu au château et sa famille affirme qu'elle ne l'a pas revu depuis son départ du Vivarais pour demander audience au Roi.

Ma mère, ma sœur et mon fiancé disparus : le monde s'effondrait autour de moi et je tombai en pâmoison.

CHAPITRE 7

Je me réveillai dans une chambre inconnue. Suzon était à mon côté. Je ne me souvenais de rien et j'interrogeai d'une voix pâteuse :

— Où suis-je ?

— Dans la chambre de Mme de Caylus. Vous nous avez fait une belle peur hier soir.

— Hier soir ? Que s'est-il passé ?

Suzon ne me répondit pas mais appela :

— Madame ! Madame ! Mlle Charlotte vient de se réveiller.

Marguerite entra dans la pièce le visage soucieux et m'interrogea :

— Comment vous sentez-vous ?

— Fatiguée... Mais que fais-je ici... dans votre lit ?

— Cette nuit, vous avez eu un malaise qui nous a causé une grande frayeur. Sa Majesté et toute sa Cour sont arrivés à Trianon alors que votre frère, M. Coustou et M. de Forbin essayaient de vous ranimer sans succès. Votre frère nous a expliqué que vous aviez eu une forte émotion. Nous avons cru un instant que votre cœur n'y avait pas résisté et que vous étiez morte.

Brusquement, la mémoire me revint. De pâle, je virai au rouge et je criai avant de m'effondrer en larmes sur l'oreiller :

— Mon Dieu, ma mère, ma sœur et François ont disparu !

— Comment ? s'étonna Marguerite. Simon ne nous a rien dit de précis. De toute façon, personne n'a songé à le questionner. Passé le premier émoi, la Cour a repris bavardages, danses et ripailles... mais vous m'avez fait manquer le bal et le feu d'artifice.

— Je... je suis désolée.

— Oh, il y en aura d'autres... Contez-moi plutôt votre malheur, cela vous soulagera.

En sanglotant, je lui répétai ce que Simon m'avait appris.

— Ma pauvre amie, se lamenta Marguerite, vous aviez fui Saint-Cyr pour goûter aux divertissements de la Cour et vous voilà bien en peine.

— Oui. C'est comme si Mme de Maintenon me punissait pour ma désobéissance.

— Ne dites pas de bêtises. J'ai fait tout ce que j'ai pu pour qu'elle ne vous voie pas. Lorsque je vous ai reconnue, j'ai vite pris son bras pour l'éloigner de l'endroit où vous étiez étendue. Elle a hésité un instant et m'a dit : « Il me semble que je connais cette jeune personne ? » Ce à quoi je lui ai répondu : « C'est une demoiselle d'honneur de la princesse Palatine. » Elle m'a cru et j'ai ainsi empêché qu'elle n'ajoute sa colère à votre détresse.

— Je... je vous remercie...

— Ah, la religion huguenote expose à bien des soucis. Heureusement, vous y avez renoncé... Quelle tristesse que votre mère et votre sœur n'aient pas suivi votre exemple !

Je les comprenais. Moi-même je ne me sentais pas franchement catholique. À dire vrai, je ne me sentais pas non plus totalement huguenote. Il me semblait que la religion était une source d'ennui et qu'il était préférable de ne pas exposer ses opinions. Je ne divulguai pas à Marguerite le fond de ma pensée. Elle était ma seule amie en dehors de Saint-Cyr. La perdre eût été dramatique.

— La brutalité de ceux qui voulaient nous convertir en est sans doute la cause..., dis-je en matière d'excuse.

— Certes, mais les conversions se sont faites par milliers et il n'y a pratiquement plus de huguenots sur le sol de France.

Je l'avais entendu dire également, mais cette affirmation était si terrible pour moi et les miens que je murmurai :

— Sans ceux que j'aime, ma vie n'a plus de sens et je préfère me laisser mourir.

— Quoi ! Vous laisser mourir quand les vôtres ont besoin de vous ! C'est la pire des solutions !

Sa repartie me piqua. Ma faiblesse tout à coup me fit honte et je me redressai sur les oreillers en demandant :

— Mais comment leur venir en aide ? J'ignore s'ils sont à l'étranger ou dans une prison du royaume... et même s'ils sont encore en vie !

— Nous n'aurons pas la réponse dans la journée... ni les jours suivants... Ce sera une enquête de longue haleine où il faudra du doigté, de la patience, de la persévérance et du courage...

L'étendue de la tâche m'effraya. Serais-je capable de la mener à bien ?

— Je vous aiderai, reprit Marguerite. Je me targue d'avoir l'amitié du Roi, et celle de Mme de Maintenon, alors en choisissant le moment le plus favorable et si je les questionne avec prudence, sans les froisser mais au contraire en les flattant habilement, je pourrai sans doute en apprendre un peu plus sur leur sort.

Je me jetai à son cou en m'exclamant :

— Ah, Marguerite, si vous réussissez dans cette entreprise, je... je...

Je me rendis compte que je n'avais rien à lui proposer en échange de l'immense service qu'elle allait me rendre. Parce que je n'étais rien. Je n'avais aucune fortune et je ne pouvais la faire bénéficier d'aucun avantage qu'elle ne possède déjà et je terminai, un peu piteusement :

— ... je vous en serai éternellement reconnaissante.

Marguerite sourit et ajouta :

— La satisfaction de faire votre bonheur et votre amitié me suffisent. Maintenant, je veux que vous abandonniez cette mélancolie qui vous gâte le teint et que vous m'assuriez que vous êtes prête à vous battre pour aider les vôtres.

Son optimisme me rasséréna. Et comme un soldat devant son capitaine, je me levai d'un bond et, au garde-à-vous, je répétai, me forçant à sourire :

— Je suis prête !

Suzon, qui avait quitté la pièce pour m'aller quérir un bol de bouillon, revint et annonça :

— M. Nicolas Coustou souhaiterait prendre de vos nouvelles, il attend dans l'antichambre.

— Priez-le de patienter, lui répondit Marguerite et venez vite préparer Charlotte.

— Oh, non ! Je ne peux le recevoir... Hier soir, il m'a... enfin, il m'a fait la cour et... après ce que j'ai appris sur François et ma famille, je n'ai aucune envie de... d'entendre ses compliments.

— Allons, ce n'est pas en vous morfondant dans la tristesse que les choses avanceront. Au contraire, un peu de distraction vous fera grand bien et la galanterie est l'une des plus agréables que je connaisse.

Je répliquai assez sèchement :

— Cela ne m'intéresse pas.

— Ah, Charlotte, il vous faut un peu oublier l'éducation trop stricte de Saint-Cyr pour vous livrer sans arrière-pensées aux petits plaisirs de la vie. Je ne vous demande pas de répondre aux avances de Coustou, simplement de le recevoir pour bavarder avec lui. Cela vous changera de vos idées sombres, c'est tout.

Je finis par accepter, puisque cela semblait faire partie du traitement recommandé par ma protectrice.

Suzon me fit passer une robe en brocart de Lyon jaune à rayures florales blanches, me coiffa et agrémenta ma chevelure de quelques rubans. Je refusai qu'elle en mette trop car, pour l'heure, jouer les coquettes me répugnait.

Lorsque je fus prête, j'entrai dans le salon où Marguerite tenait compagnie à M. Coustou. Il se leva et je lus de l'admiration dans son regard. Cela aurait dû me laisser indifférente, mais un frisson de plaisir me parcourut la colonne vertébrale.

— Je suis venu m'enquérir de votre santé. Hier soir, j'ai eu peur que... enfin, nous avons tous eu peur pour vous.

— Je vous remercie, monsieur. Je me porte bien. Mon malaise était dû à... à une forte émotion et...

— De mauvaises nouvelles ?

— En effet...

Voyant les larmes me monter aux yeux à l'évocation de mon malheur, Marguerite me coupa la parole afin d'empêcher la tristesse de m'envahir :

— M. Coustou a une proposition à vous faire.

— En effet, assura le sculpteur. Je recherche un modèle pour une statue commandée par le Roi pour son jardin de Marly. Il souhaite un ouvrage plein de grâce et de beauté... j'ai suggéré à Sa Majesté une nymphe aux oiseaux. L'idée l'a séduite et j'ai pensé que vous pouviez être cette nymphe.

— Moi ?

— Oui. Votre fraîcheur et votre beauté m'inspirent.

— Ah, monsieur, mes soucis sont tels que servir de modèle pour une sculpture me paraît par trop futile.

— Comment ? s'étonna Marguerite. Un sculpteur de la renommée de M. Coustou vous propose de poser pour la postérité et vous refusez ? Cela dépasse l'entendement. Quant à moi, avoir mon effigie de marbre dans le jardin de Marly et me savoir contemplée par tous et pour l'éternité serait un bonheur sans nom !

Comprenant sans doute qu'il avait commis une indélicatesse en s'extasiant sur ma beauté sans louer celle de Marguerite, Nicolas Coustou s'empressa d'ajouter :

— Mais, madame, ce bonheur est à votre portée. J'ai également en commande une œuvre intitulée *La Seine et la Marne* et je cherche un beau visage de femme pour illustrer la Seine. Le vôtre conviendrait à merveille.

Je m'aperçus alors que Marguerite arborait un visage boudeur. D'ailleurs, elle reprit assez sèchement :

— Ne vous croyez pas obligé de me prendre pour modèle si c'est le visage de Charlotte qui vous intéresse.

— Non point, madame, mon offre n'a rien d'une obligation, au contraire, ce serait un grand honneur si vous acceptiez.

Marguerite consentit à sourire et lâcha, pas franchement convaincue :

— Va pour un fleuve... bien qu'une nymphe soit tout de même plus flatteur !

Je restai étrangère à ce dialogue. Marguerite avait répondu pour moi et contre ma volonté, mais je ne me sentais pas le courage de la reprendre et d'avouer à Nicolas Coustou que je n'avais pas de temps à perdre à poser pour lui, souhaitant le consacrer entièrement à la recherche de ma mère, de ma sœur et de François.

CHAPITRE

8

Dès le lendemain après-dînée[1], Nicolas Coustou se fit annoncer. Marguerite le pria d'entrer dans le salon et Suzon vint me prévenir alors que, dolente, allongée sur mon lit, je cherchais vainement comment obtenir des nouvelles de ceux que j'aimais.

Après quelques phrases de politesse, le sculpteur sortit d'un porte-documents de cuir des feuilles de dessin et, après avoir indiqué à Marguerite la meilleure position par rapport à la lumière de la fenêtre, il commença son portrait. Elle semblait avoir oublié sa déconvenue de la veille. Elle était souriante, détendue et bavarde, comme à l'accoutumée. J'étais incapable de me mêler à leur futile conversation.

1. Après-dînée ou après-dîner : après-midi.

Une heure plus tard, Marguerite se leva du tabouret où elle était assise et me lança comme si nous jouions à trou-madame[1] :

— À vous !

Je m'assis, aussi raide qu'un piquet de bois, aussi souriante qu'une porte de prison, aussi détendue qu'un condamné avant de monter à l'échafaud.

— Eh bien, souriez, plaisanta Marguerite. M. Coustou n'exécute pas une pleureuse !

Sa repartie me blessa. Elle ne partageait pas mon tourment, comme si sa vie se limitait aux joies et aux plaisirs de la Cour, excluant tout ce qui peut les ternir. La veille, elle m'assurait de son aide ; je me demandais à présent si elle ne l'avait pas fait emportée par l'émotion de l'instant et si elle n'avait pas déjà oublié son serment. Pouvais-je compter sur elle ? Sa frivolité me permettait d'en douter.

M. Coustou ne fit aucun commentaire mais, d'une main légère, il inclina mon visage afin qu'il captât mieux la lumière. Je ne parvenais cependant toujours pas à sourire. Agacée, Marguerite soupira :

— Cette séance risque de traîner en longueur... Aussi, puisque vous n'avez plus besoin de moi, je vous laisse. J'ai rendez-vous avec le drapier et c'est le genre d'activité qui ne souffre aucun retard.

1. Sorte de jeu de billard.

Elle rit de son bon mot. M. Coustou l'imita, mais il me sembla que ce n'était que par pure politesse.

Dès que nous fûmes seuls, il me dit :

— Je sens bien, mademoiselle, que poser pour moi est un supplice et je vais vous en délivrer.

— Oh, non, monsieur, ne croyez pas que... Mais il est vrai que je n'ai pas l'esprit à sourire comme vous me l'ordonnez.

— J'ai surpris une partie de la conversation avec votre frère. Il s'agit de votre mère, de votre sœur et d'un certain François... c'est cela ?

J'opinai de la tête, hésitant à tout lui révéler. Pourtant, cet homme m'inspirait confiance sans que je pusse expliquer pourquoi. Il me semblait que lui parler me soulagerait. Aussi, après quelques secondes silencieuses, je lui contai mon malheur.

— Hélas ! souffla-t-il, persister à rester huguenot est une grave offense au Roi.

Cette phrase me glaça.

Nicolas Coustou approuvait donc le Roi dans sa persécution des huguenots ! J'avais espéré son soutien et sa réponse me donnait à penser que je m'étais trompée sur sa personne et cela me fit mal.

Le Roi lui avait commandé plusieurs statues et s'il ne voulait pas perdre son travail, il avait tout intérêt à approuver la politique du souverain. En entendant mon histoire, il avait sans doute pris conscience qu'il était dangereux d'être de mes amis.

Comme piquée par un aiguillon, je me levai du tabouret et je lançai :

— Je regrette de vous avoir importuné avec mes soucis. À l'avenir, je ferai comme si je ne vous connaissais point. Déchirez vos croquis, vous trouverez sans peine une autre demoiselle comme modèle pour votre nymphe.

— Oh, là, là, quelle impétuosité ! s'exclama-t-il, déconcerté par ma réaction.

— C'est que je m'aperçois que nous ne partageons pas la même opinion... il est donc préférable de cesser de nous voir, cela ne pourrait que vous porter préjudice.

— Ah, vous me jugez bien mal ! Je vous ai promis mon amitié et mon aide et je ne change pas d'avis pour une question de religion. Me prenez-vous donc pour un goujat ?

— J'avais cru comprendre que...

— Il est vrai que ma situation dépend du bon vouloir de Sa Majesté, mais tant que je ne me convertis pas à la religion huguenote, je ne peux lui déplaire... et aider une demoiselle à obtenir des nouvelles de sa mère et de sa sœur n'est pas un délit susceptible d'offenser le Roi.

Il avait, volontairement ou non, oublié de mentionner François. Il ne m'avait rien demandé à son sujet, mais il devait se douter que si je m'inquiétais pour lui et s'il n'était pas mon frère, c'est qu'il m'était cher par d'autres liens que ceux du sang. Je ne relevai pas son omission. Me seconder dans la recherche de ma famille était une chose, enquêter sur l'homme que j'aimais en était une autre. J'en déduisis qu'il avait du sentiment pour moi. Je ne savais pas si c'était un point positif ou négatif. L'amour peut donner des ailes... il peut aussi être dangereux lorsqu'il n'est pas payé de retour... et je ne pouvais pas aimer M. Coustou puisque mon cœur était à François... Mais son amitié me réconfortait et je m'assis à nouveau sur le tabouret où je réussis à paraître plus détendue.

— Parfait, me dit-il en saisissant son papier et son fusain.

Pendant qu'il dessinait, mon esprit se mit à vagabonder.

Je me rendis compte que les deux personnes à qui j'avais livré mon secret étaient toutes deux catholiques, vivaient à la cour où le mot de « huguenot » était interdit et avaient tout intérêt à ne pas se fâcher avec le Roi. Que pouvais-je donc attendre d'elles ? N'avais-je pas eu tort de leur accorder ma confiance ?

Marguerite ne m'avait prise sous sa protection que pour me faire découvrir les plaisirs de Versailles, et mes problèmes ne pouvaient que l'éloigner de ces amusements. Quant à Nicolas Coustou, il n'était sans doute pas prêt à risquer sa carrière pour me secourir, même si, par galanterie, il affirmait le contraire... À moins qu'il ne profitât de ma faiblesse pour me séduire... Eh bien, il en serait pour ses frais ! Mon cœur était à François.

Et j'accentuai mon sourire.

CHAPITRE 9

Quelques jours plus tard, Marguerite m'annonça, tout émoustillée :

— Charlotte, j'ai parlé au Roi...

Pleine d'espoir, je lui coupai la parole :

— De ma mère et de ma sœur ?

— Non point, de Marly.

— De Marly ? m'étonnai-je.

— Oui. Le Roi n'y convie que des intimes, des gens qu'il veut remercier ou honorer. Vous y faire inviter en cachant votre identité a été un véritable exploit ! Mais j'ai réussi et j'en suis assez fière.

Aller au château de Marly n'était pas une de mes priorités, aussi je fis la moue.

— Quoi ? Vous n'êtes pas contente ? Quand je pense que certaines demoiselles se damneraient pour participer à un Marly ! Si vous aviez vu la comtesse de Neuville, pratiquement à plat ventre devant Sa Majesté, supplier : « Sire, Marly », en espérant que le Roi la coucherait sur la fameuse liste, cela vous aurait réjouie.

Comme je ne manifestais pas ma satisfaction, Marguerite s'emporta :

— Vous êtes bien ingrate !

— Ne croyez pas cela, mais le souci que j'ai de ma mère et de ma sœur me perturbe.

— Je le conçois. Pourtant, je dois vous dire que, pas plus que Sa Majesté, je n'apprécie les tristes figures, et si je vous ai permis de fuir Saint-Cyr c'était dans l'optique d'avoir une amie plaisante et drôle à mon côté.

— Je... je suis désolée.

— Alors pour que je ne regrette pas mon geste, soyez un peu plus gaie. Tenez, je vous propose un marché. Pour m'être agréable, vous oubliez vos ennuis pendant les divertissements. En échange, je vous promets de chercher des renseignements sur votre famille. Cela vous convient-il ?

Avais-je le choix ? Assurément pas. Je dépendais entièrement de Marguerite. Si je me fâchais avec elle, elle pouvait me dénoncer à sa tante et inventer n'importe quel conte pour justifier sa participation à ma fuite et s'en tirer sans dommage alors que moi je serais chassée de Versailles sans le sou, la honte au front.

La mort dans l'âme, je fis amende honorable.

— Je vous remercie, Marguerite. J'avoue m'être laissé emporter par la tristesse, mais vous avez raison, je vais essayer de profiter des plaisirs que vous avez la bonté de me proposer.

— À la bonne heure ! Le drapier m'a confectionné une merveille de robe en brocart de soie de Lyon orange à motifs végétaux qui ira fort bien dans le cadre champêtre qu'apprécie le Roi. Je vous donnerai l'une de mes robes que je n'ai jamais portée à Marly et la couturière vous la transformera en un tour de main. Elle a des doigts de fée.

Je remerciai encore.

La semaine passa rapidement. Il y eut plusieurs essayages afin de transformer une des vieilles robes de Marguerite en une nouveauté pour moi. Une invitation à une après-dînée chez la duchesse de Voguë, amie de Marguerite, à qui je fus présentée comme étant une cousine débarquant de province.

J'échappai à la soirée d'appartement donnée par le Roi par crainte de rencontrer, dans cet espace clos, Mme de Maintenon.

Je restai donc seule dans la chambre que je partageais avec Marguerite. Cette solitude m'avait fait défaut lors de mon séjour à Saint-Cyr et je la goûtai ce soir-là comme une friandise. J'appréciai de me coucher à l'heure de mon choix, de manger ce dont j'avais envie, de chantonner ou de rire, de ne point réciter ma prière, et de lire *Clélie*, le roman de Mlle de Scudéry. Je n'avais jamais lu de romans. À Saint-Cyr, ils étaient interdits et ma mère considérait que la lecture de ces ouvrages était une perte de temps. En évoquant ma mère, la tristesse m'envahit et le livre me tomba des mains alors que les larmes perlaient à mes paupières.

Le lendemain, Marguerite réussit à me faire rire en me rapportant les derniers potins de la Cour, puis Suzon vint nous annoncer l'arrivée du chevalier de Forbin.

— Ah ! s'exclama Marguerite, voilà un homme qui a toujours des choses intéressantes à raconter.

Nous le rejoignîmes au salon et Marguerite l'accueillit par ces mots :

— Alors, monsieur le navigateur, de quelle fantastique expédition revenez-vous ?

Le chevalier s'inclina devant Marguerite, puis devant moi, mais il me sembla que son regard noir me détaillait plus que la bienséance ne l'autorisait.

— Rien que de bien ordinaire, dit-il.

Cependant on sentait à sa voix que ce n'était qu'une figure de style. Tout le monde savait que le chevalier était une sorte d'aventurier toujours prêt à s'embarquer pour les pays lointains pourvu qu'il y eût des combats à la clef ou de l'argent à gagner.

— Allons, ne vous faites pas prier... À Versailles, nous mourons d'ennui et nous comptons sur vous pour nous divertir un peu.

— J'arrive du siège d'Alger. Grâce à nos galiotes à bombes qui tirent à plus de trois kilomètres, nous avons jeté une telle consternation dans la ville que le roi de ce pays s'est hâté de demander la paix et nous a restitué quatre cents esclaves français pris sur des vaisseaux de la Marine royale. Mais un Turc s'est opposé à cette paix et a assassiné le consul de France.

— Quelle horreur !

— Nous avons été obligés d'abandonner le siège et la flotte est revenue à Toulon où je travaillais à un second armement. Cette fois, c'est avec cent vingt bâtiments dont seize galères commandées par M. le bailli de Noailles que nous avons attaqué Alger. Il y a eu de nombreux morts des deux côtés et...

— Oh, s'il vous plaît, pas d'histoire si cruelle, se plaignit Marguerite.

— Vous avez raison, les récits de guerre ne peuvent qu'incommoder les dames... Mais je vais vous narrer une anecdote qui prouve que toutes les guerres ne pourront rien contre la générosité de certains humains. L'un de nos officiers, le chevalier de Lhéry, venait d'être capturé et condamné à périr attaché à la bouche d'un canon. Comme l'exécution allait avoir lieu, un capitaine turc reconnut en lui l'homme qui, quelques années plus tôt, l'avait tiré d'une situation périlleuse. Il chercha à obtenir sa grâce, mais n'y parvint pas. Voyant que l'on attachait le malheureux chevalier au canon, il l'entoura de ses bras et dit au canonnier : « Mettez le feu puisque je ne puis sauver mon bienfaiteur, je veux mourir avec lui ! »

Je poussai un cri et portai une main à ma gorge. M. de Forbin me rassura d'un sourire et poursuivit :

— Personne ne périt pour cette fois car le Roi fut si attendri par ce spectacle qu'il accorda la vie à l'officier, tant il est vrai que la vertu triomphe avec éclat des cœurs les plus insensibles.

Marguerite et moi soupirâmes de soulagement.

— Et maintenant, quelle mer va vous emporter ? s'informa Marguerite avec emphase.

— Je pars pour le Siam[1] comme major de monsieur l'ambassadeur. Les navires sont à l'affrètement. Sa Majesté fait préparer de somptueux présents pour le Roi Somdet Phra Naraï. À dire vrai, la terre ferme m'ennuie. J'ai besoin d'action et servir le Roi en bataillant sur les mers ou en allant

1. Le Siam est l'ancien nom de la Thaïlande.

au bout du monde pour rapporter or, soieries et épices me convient mieux que de languir à la Cour.

— Comme je vous comprends... Si j'étais un homme, c'est le parti que j'aurais choisi aussi, minauda Marguerite.

J'avais l'impression qu'elle cherchait à le séduire. Elle m'avait confié un jour que son mariage était un échec. Son mari était un rustre, joueur, buveur et querelleur, et comme le roi l'avait éloigné de la Cour en lui donnant un poste à nos frontières, elle était libre de mener sa vie à sa guise à condition d'être discrète. Je supposai donc qu'elle avait jeté son dévolu sur le chevalier de Forbin, qui était fort séduisant, et je n'avais aucune envie de marcher sur ses brisées[1].

— Serez-vous à Marly ? interrogea-t-elle.

— Hélas ! je n'ai point cet honneur.

— Voilà qui me contrarie. J'espérais...

Puis, craignant sans doute de laisser trop transparaître ses sentiments, elle enchaîna avec optimisme :

— Enfin, ce n'est qu'un contretemps. Nous nous verrons dès mon retour, n'est-ce pas ?

— Comme il vous plaira, madame, dit le chevalier en s'inclinant.

1. « Marcher sur les brisées (ou les plates-bandes) de quelqu'un » : entrer en concurrence avec lui sur un terrain qui lui est réservé.

Mais j'aurais juré qu'il n'était pas spécialement enthousiasmé par cette invitation.

Lorsqu'il fut parti, Marguerite me questionna :

— Que pensez-vous du chevalier ?

Je vis là une sorte de piège dont j'essayai de me sortir le mieux possible.

— C'est un homme de grande valeur, dis-je.

— Mais encore ?

— Il a du courage.

— J'en conviens, mais ce n'est point ce sujet qui m'intéresse. Lui trouvez-vous de l'allure ? du charme ? En un mot, le prendriez-vous pour amant ?

Sa question me choqua, mais elle l'avait fait exprès pour étudier ma réaction. Je maîtrisai tant bien que mal la rougeur qui me montait aux joues et, ne voulant pas passer pour une oie blanche, je répondis avec habileté :

— Il a certainement de l'allure et du charme, mais ce n'est point du tout le genre d'homme qui m'attire.

Elle parut soulagée et me proposa :

— Venez, ma chère, je voudrais vous faire sentir une nouvelle eau de senteur florale qui arrive tout droit d'Italie et qui, j'en suis certaine, est prompte à enflammer les sens du gentilhomme le plus récalcitrant.

Et elle éclata d'un grand rire franc en me prenant par la taille pour entrer dans sa chambre.

CHAPITRE

10

Le château de Marly est étonnant. On a la curieuse impression que la forêt a juste été défrichée pour y placer les bâtiments, le parc et les bassins. Il n'a rien de la majesté et de la puissance de Versailles et c'est justement sa légèreté et son charme qui me séduisirent.

On voit tout d'abord l'eau qui miroite au soleil. De l'eau à profusion. On sent que le Roi, qui adore les fontaines et les bassins, a profité de la richesse en rus et rivières de ce vallon pour faire réaliser les plus fous de ses rêves : le bassin des Quatre Gerbes, le vaste plan du Miroir d'eau et le bassin des Grandes Nappes puis, en contrebas, l'Abreuvoir, enfin à l'arrière du Pavillon royal, la Grande

Cascade dont l'eau écumante se déverse dans soixante-quatre bassins de marbre rouge décorés de rocailles, de statues et de charmille.

Le Pavillon royal n'est point une énorme bâtisse comme Versailles. C'est une sorte de cube de dimensions modestes surmonté d'une coupole. Douze édifices identiques se dressent à intervalles réguliers dans l'axe de la façade du Pavillon royal : six à l'ouest et six à l'est. Ils sont reliés entre eux par une allée plantée d'ormes dont les branches fixées sur des cerceaux forment une véritable galerie de verdure. Ces sortes de petites maisons de campagne sont destinées aux princes et aux courtisans et Marguerite et moi logions dans deux pièces de l'un des pavillons du Levant.

Comme je m'extasiais sur les structures et balustrades en trompe l'œil, sur les nombreuses statues du parc, sur les carpes nageant dans les bassins, sur les couloirs de verdure fleurant bon le jasmin, Marguerite tempéra mon admiration en assurant :

— Ah, ma chère, tant qu'il fait beau, Marly est charmant, mais pour peu qu'il pleuve ou qu'il vente, on s'y gèle et on s'y noie... et puis, je déteste la campagne.

À peine étions-nous arrivées que nous rencontrâmes Nicolas Coustou. Au pied d'une sculpture, il était en grande discussion avec un homme plus âgé que lui. Il nous salua fort civilement et nous présenta son oncle Antoine Coysevox, sculpteur lui aussi.

— Je suis son très modeste élève, précisa-t-il.

Puis, il ajouta à l'intention de son oncle :

— Voici les deux charmantes dames qui ont accepté de me servir de modèles.

— Vous avez fort bien choisi, assura M. Coysevox en s'inclinant légèrement devant nous.

— Ainsi, vous êtes invités à Marly ? s'enquit Marguerite.

— Non point, madame. Le Roi a simplement souhaité voir l'avancement de notre travail et nous venons lui présenter quelques pièces destinées au parc. Nous repartons en fin de journée.

— Quel dommage que vous ne puissiez assister au divertissement que le Roi donne ce soir !

— Là n'est point notre place... C'est déjà un si grand honneur de travailler pour Sa Majesté que le reste nous indiffère.

Marguerite fit la moue. M. Coysevox était trop sérieux pour lui plaire et sans doute un peu trop vieux. Il devait bien avoir la cinquantaine. Elle l'ignora donc et, se tournant vers Nicolas, elle lui proposa :

— En attendant la visite de Sa Majesté, accompagnez, nous à la ramasse, il faut en profiter avant qu'elle ne soit prise d'assaut par les enfants du Roi !

— La « ramasse », qu'est-ce ? demandai-je.

— Un jeu très drôle... un chariot de bois doré qui glisse sur un rail en forte pente sur plus de deux cent cinquante mètres ! Il ne faut pas avoir peur de montrer ses chevilles ou même ses mollets car la vitesse envoie parfois très haut les jupes, mais la sensation est inoubliable.

Sa description m'intrigua et, quoique vaguement inquiète, je testai le manège. Je ne le regrettai pas. Le rire libérateur que je ne pus retenir lorsque je dévalai la pente, le vent de la course soulevant ma jupe et décoiffant mes cheveux étaient à la hauteur de l'angoisse qui m'avait saisie en m'asseyant à côté de Marguerite dans le chariot.

Soudain, le Roi et sa suite furent devant nous.

— Eh bien, mesdames, nous dit Sa Majesté, nous avons bien du plaisir à vous entendre rire de la sorte.

Mon rire s'arrêta net. Je me cachai derrière Marguerite et plongeai dans une profonde révérence, le visage ostensiblement baissé afin que Mme de Maintenon ne me reconnût pas. Je m'attendais déjà à entendre sa voix me tancer vertement. Rien ne se produisit. J'osai lever les yeux sur les dames entourant le Roi. Elle n'y était pas. Je me sentis aussitôt plus légère. Le Roi demanda à M. Coysevox et à

M. Coustou de lui montrer les plâtres des nouvelles statues et il enchaîna :

— Venez, ordonna-t-il à Marguerite, votre jeunesse et votre joie de vivre sont vivifiantes !

Marguerite s'inclina et emboîta le pas au Roi. Je l'entendis dire :

— Bientôt, Majesté, mon visage illuminera le parc puisque M. Coustou l'a choisi pour modèle d'une de ses statues.

N'ayant pas été conviée, je restai sur place, ne sachant vers où diriger mes pas pour ne pas tomber sur Mme de Maintenon. On la disait frileuse et comme un vent sournois s'était levé, elle avait sans doute préféré demeurer à l'intérieur du bâtiment. Je décidai donc d'aller vers le bassin des carpes que m'avait vanté Marguerite. Nous en possédions un modeste en Vivarais où trois poissons s'ébattaient. Mon père rêvait de l'agrandir, mais l'eau était rare dans notre propriété, et il avait dû renoncer à y faire creuser des fontaines.

Je me penchai au-dessus du bassin pour admirer la nage majestueuse de ces poissons dont les écailles dorées, argentées, moirées ou mouchetées brillaient dans l'eau. Le Roi avait une véritable passion pour ces animaux à qui il avait donné des noms.

Tout à coup, une voix masculine annonça derrière moi :

— Celle qui est proche de votre main s'appelle l'Admirable ; et celle d'à côté, le Masque d'Or. Je les ai offertes récemment à Sa Majesté qui a fort apprécié ce présent.

Cette voix ! Elle était gravée en moi pour toujours. Mon cœur s'emballa et l'angoisse me noua la gorge. Comment fuir ? Le bassin était devant moi et lui dans mon dos. J'étais prise au piège. Je ne devais pas me retourner. Peut-être ne m'avait-il pas reconnue et souhaitait-il simplement faire sa cour à une demoiselle ? Le visage volontairement tourné vers les poissons, je ne répondis pas, glissant un regard en coulisse pour voir s'il y avait aux alentours un gentilhomme susceptible de me secourir. Mais personne n'avait eu l'idée saugrenue de venir admirer les carpes dans ce coin reculé du parc.

— Seriez-vous muette ? s'étonna l'importun. À moins que madame votre mère vous ait fait jurer de ne point parler à un inconnu. Dans ce cas, je me présente : Charles de Bourdelle, marquis de Réaumont.

C'était lui.

Il me prit par le bras et m'obligea à me relever du bord du bassin où j'étais assise. Dès qu'il vit mon visage, sa main accentua sa pression sur mon bras et il s'exclama :

— Vous ! Ainsi, c'est bien vous que j'ai aperçue l'autre soir à Versailles.

La haine et le dégoût qu'il m'inspirait me donnèrent la force de lui faire face et je lui lançai :

— Vous aviez cru qu'en m'enfermant jusqu'à l'âge de vingt ans vous alliez pouvoir épouser une bonne catholique ayant une dot et la bénédiction du Roi, vous avez mal joué !

— Il est vrai que votre évasion va me compliquer la tâche... D'un autre côté, elle m'évitera d'attendre encore quatre ans avant de vous épouser.

— Vous ne m'épouserez jamais ! lui assurai-je en le foudroyant du regard.

Il éclata de rire.

— Que si, ma belle, c'est vous que je veux et je vous aurai !

— Vous n'obtiendrez jamais l'accord de mes parents !

— Je n'en ai nul besoin. Ils sont d'anciens huguenots et je suis catholique. Sa Majesté nous donnera donc sa bénédiction.

— Je refuserai, je hurlerai, je trépignerai et je ferai un tel charivari que la honte vous fera abandonner ce projet absurde.

— Voyons, réfléchissez. Pourquoi donc refusez-vous cette union ? Elle vous apportera la stabilité, le titre de marquise, de l'argent, des robes, des bijoux et une place enviée à la cour.

— Tout cela ne m'intéresse pas !

— Ah, mais, j'y suis... vous êtes amoureuse de votre cousin François, c'est cela !

Je baissai les yeux pour cacher mes sentiments à cet odieux personnage.

— Eh bien, oubliez-le, poursuivit-il. À l'heure qu'il est, il est enfermé dans la prison de la Tournelle à Paris. Il attend le départ de la chaîne[1] pour les galères... et on revient rarement des galères.

Je crus que mon cœur allait s'arrêter de battre. Pourtant, un étrange sentiment de survie me retint. Si je tombais en pâmoison, le marquis pouvait m'enlever et faire de moi ce qu'il voulait. Apercevant un groupe de promeneurs dans une allée, je hurlai :

— À moi ! À l'aide !

Le marquis, décontenancé, hésita. Il lâcha enfin mon bras et grommela :

— Vous me paierez cette offense !

Mais il quitta les lieux à grandes enjambées.

Attirés par mes cris, les promeneurs furent rapidement devant moi et je leur expliquai succinctement :

— Ce monsieur s'est conduit comme un goujat !

Incapable de me dominer, je tremblais de peur et de colère. L'un des gentilshommes proposa de

1. On appelle chaîne l'ensemble des galériens enchaînés deux par deux qui se déplacent de la prison vers le port où ils seront enchaînés sur les galères.

m'accompagner, mais je craignais d'être obligée, chemin faisant, de lui expliquer ma situation ou de mentir pour la dissimuler. Je n'avais de courage ni pour la première solution, ni pour la seconde. En fait, j'avais besoin d'être seule pour digérer cette terrible nouvelle : François était condamné aux galères !

Je déclinai l'invitation, puis je me mis à courir en direction du pavillon où nous avions notre logement dans le but de m'enfermer dans la chambre et de n'en plus sortir. J'entendis la voix étonnée du gentilhomme crier :

— Attendez ! Ne fuyez pas !

Mais je ne m'arrêtai pas.

CHAPITRE 11

Je m'effondrai sur le lit et les pleurs que j'avais contenus à grand-peine me submergèrent.

Ma mère et ma sœur avaient disparu et François allait partir aux galères... et moi qui m'étais enfuie de Saint-Cyr pour goûter à la liberté et aux plaisirs de la cour ! Ma futilité me fit honte.

C'est dans cet état que me trouva Marguerite.

— Eh bien, que vous arrive-t-il encore ? s'enquit-elle.

Je ne pus lui cacher mon désespoir et je lâchai :

— François est condamné aux galères.

— Grand Dieu, il ne manquait plus que cela ! Est-il déjà à la chaîne ?

— Non. Il attend son départ à la prison de la Tournelle.

— Alors, il reste encore un espoir. On arrive parfois à racheter la faute des galériens. Mais il faut de l'argent, beaucoup... Plus la somme est importante, plus facile est la transaction.

— Hélas... je n'ai pas un sou.

— Votre père ?

— Nos biens ont été confisqués.

— Dans ce cas... je ne vois aucune solution.

Une nouvelle fois, je fus secouée de sanglots. Marguerite posa une main compatissante sur mon épaule et poursuivit sur un ton badin, sans doute pour me changer les idées :

— Si vous nous aviez suivis, vous auriez eu le bonheur d'être remarquée par le Roi.

— Vraiment ? répondis-je distraitement. Car c'était pour l'heure le cadet de mes soucis.

— Oui. M. Coustou a montré l'ébauche qu'il a faite de sa *Nymphe aux oiseaux* et le Roi a assuré qu'il n'avait jamais vu plus charmant visage. Ce à quoi M. Coustou a répondu que la jeune personne qui avait posé pour lui était une de mes amies. Le Roi a beaucoup regretté de ne pas pouvoir contempler le modèle original. Il espère le faire ce soir.

— Ce ne sera pas possible.

— Si c'est à cause de François, vous morfondre dans cette pièce ne le ramènera pas vers vous.

— Pas seulement. Je crains de rencontrer Mme de Maintenon, qui ne manquera pas de me faire un affront public.

— Puisque vous êtes protégée par le Roi, elle ne pourra rien contre vous !

— Je préfère rester dans l'ombre. Et plaire au Roi en sachant que j'ai déplu à Mme de Maintenon parce que j'ai fui la Maison de Saint-Cyr me mettrait mal à l'aise.

— Ah, vous n'êtes pas douée pour les intrigues ! Et les intrigues, c'est ce qui fait le sel de la Cour.

Je le comprenais à mes dépens et je craignais même qu'il me fût impossible de m'habituer à vivre ainsi. Ma mère m'avait enseigné la droiture : un mot que la Cour semblait ignorer.

Prétextant une grande fatigue, je refusai d'assister aux divertissements de la soirée. Je devais me cacher pour ne pas tomber sur le marquis.

Qui sait ce dont il aurait été capable ?

Je n'avais pas voulu ennuyer Marguerite en lui contant ma rencontre avec le marquis. Elle était à Marly pour l'amusement et je sentais bien que tout ce qui l'en détournait la fâchait.

Après mon refus, elle haussa les épaules et me lâcha, en guise de commentaire, cette phrase assassine :

— Décidément, j'aurais dû vous laisser à Saint-Cyr, vous êtes triste comme un jour de Carême. Je perdais son amitié et son soutien et cela me désolait. Je n'avais pas besoin de cette perspective pour augmenter mon angoisse.

Je passai une triste nuit à ressasser mes malheurs sans découvrir de solution capable de m'apaiser.

Lorsque Marguerite entra dans la chambre au petit matin, je fis semblant de dormir mais elle était si excitée qu'elle me secoua l'épaule pour m'annoncer :

— Ah, Charlotte, quel dommage que vous ne soyez pas venue ! La soirée a été si agréable ! Nous avons dansé, mangé, bu, ri tant et tant que j'en ai mal à l'estomac.

Sa coiffure était dérangée, l'excitation et la boisson avaient rosi ses joues. Elle se laissa tomber sur le lit et poursuivit :

— Sa Majesté nous a annoncé le prochain départ de l'ambassade pour le Siam. Il paraît que ce pays est si riche que tous les princes sont vêtus de soie d'or ornée de milliers de diamants et qu'ils se déplacent sur des éléphants eux aussi recouverts d'or et de diamants, qu'ils ont plusieurs épouses en même temps et que les danseuses qui les divertissent dansent à moitié nues. Et quand je pense que M. de Forbin verra bientôt tout cela !

Afin de lui prouver mon intérêt pour sa conversation, je l'interrogeai :

— Le comte de Forbin ?

— Mais oui, souvenez-vous, il nous a dit qu'il y partait prochainement dans le but d'ouvrir une ambassade.

Je l'avais oublié.

— Sa Majesté va exposer tous les présents qu'elle destine au roi de Siam au cours d'une grande fête. Et figurez-vous que Nicolas Coustou a offert une copie du buste de *La Nymphe aux oiseaux* afin que l'on puisse admirer là-bas le talent de nos sculpteurs. Le Roi a été enchanté par cette initiative et je lui ai promis de lui présenter le modèle de la statue qui lui plaît tant !

— Oh, non, il ne fallait pas.

— Si. C'est un moyen de vous sortir de la mélancolie qui vous ronge et puis d'ici là, vous aurez certainement trouvé une solution à vos problèmes !

Elle en parlait comme s'il s'agissait de trouver une nouvelle dentelle pour une robe ! Je savais bien, moi, qu'en quinze jours aucun miracle ne se produirait ! Au contraire, pendant ce laps de temps, François pouvait partir pour les galères, le marquis pouvait me séquestrer et m'obliger à l'épouser et le destin de ma mère et de ma sœur pouvait basculer dans le drame.

Je me tus pourtant, la remerciant d'un sourire.

Le lendemain ne sachant pas si le marquis était encore à Marly, je refusai de quitter la chambre, prétextant une migraine.

— Ah, non ! s'exclama Marguerite contrariée, nous allons tous déjeuner dans le jardin. Le Roi y a fait aménager des « Appartements verts » et veut nous montrer des marronniers d'Inde nouvellement plantés. Vous ne pouvez pas ne pas paraître alors que je me suis battue pour vous obtenir la faveur d'être à Marly. Le Roi serait capable d'en prendre ombrage et me reprocher de mal choisir ma compagnie.

J'étais accablée. Que devais-je faire ? Comme j'hésitais, Marguerite enchaîna :

— Une saignée ferait sortir vos humeurs chagrines, j'appelle un médecin.

Je la retins par le bras et, à contrecœur, je murmurai :

— Hier... j'ai été importunée par le marquis de Réaumont.

Elle éclata de rire :

— Eh bien, on peut dire que vous avez un succès fou ! Nicolas Coustou vous prend pour modèle, Forbin devient votre chevalier servant et maintenant c'est un marquis qui vous fait la cour !

Je sentis de la jalousie dans son ton et je la détrompai :

— Il ne me fait pas la cour... Il a exigé que je sois enfermée à Saint-Cyr afin que je devienne une bonne catholique dans le but de m'épouser avec la bénédiction du Roi.

Ce qui me semblait la pire des choses lui parut normal car elle reprit :

— Mais c'est notre lot à toutes d'être mariées contre notre gré. Je n'aime point mon mari et je vis loin de lui. Pourtant je porte son nom et je dilapide sa fortune comme il me plaît. Vous n'échapperez pas à la règle.

— François et moi, nous nous aimons et nous nous sommes promis le mariage.

— François va partir pour les galères et...

S'arrêtant soudain, elle planta son index sur ma poitrine et s'exclama :

— Et le marquis peut le sauver ! Vous lui promettez le mariage en échange de la caution pour libérer François !

Mes yeux durent s'agrandir d'horreur.

— Je sais, il est vieux, il a le visage piqué de petite vérole et il ne sent pas bon..., débita-t-elle d'un trait, mais rien ne vous empêchera de prendre François pour amant !

— Épouser le marquis me répugne. Je ne peux lui pardonner d'avoir dépouillé ma famille au nom de la religion et avoir François comme amant ne me suffit pas. Je l'aime et je veux l'épouser.

Marguerite eut un mouvement d'humeur et j'ajoutai précipitamment :

— Je vous remercie, Marguerite. Vos conseils me sont précieux. Sans vous je... Je vous accompagnerai donc afin de vous être agréable.

— Vous verrez, nous allons bien nous amuser ! s'écria-t-elle comme si elle avait déjà oublié la situation désespérée dans laquelle je me débattais.

La soirée se déroula fort agréablement. Enfin, surtout pour Marguerite. Moi, je ne vivais pas. Je craignais l'esclandre que Mme de Maintenon ne manquerait pas de faire si elle me reconnaissait, je guettais le marquis pour me cacher à sa vue et j'avais le cœur chaviré de ne pas pouvoir agir pour sauver ceux que j'aimais.

Comment dans ce cas m'extasier sur des marronniers, des mets recherchés, la musique de M. Charpentier et participer à des jeux enfantins ? Je fis cependant de mon mieux pour me mettre à l'unisson des autres.

Par chance, je fus très entourée par les filles du Roi : Mlle de Blois et Mlle de Nantes qui, me prenant en amitié, m'entraînèrent vers l'escarpolette. Nous passâmes pratiquement l'après-dînée à nous faire balancer par des gentilshommes. Je me disais que le marquis ne viendrait pas m'importuner alors que j'étais en si bonne compagnie.

Je ne le vis pas de tout le jour. Avait-il quitté Marly ?

CHAPITRE 12

Je n'en pouvais plus de rester inactive tandis que le temps passait. Mais que faire ? Marguerite préférait s'étourdir dans les bals et les divertissements plutôt que d'enquêter sur la disparition de ma mère et de ma sœur et de m'aider à sauver François des galères.

Je portais donc seule le poids de trois vies et je ployais sous cette énorme responsabilité.

Bientôt, nous fûmes conviées à une nouvelle fête à Versailles.

Cela ne m'amusait plus. J'avais compris que ce n'était point là que j'obtiendrais les renseignements qui me tenaient à cœur. Les gens venaient se divertir. Il aurait été du plus mauvais goût d'évoquer les huguenots exilés, enfermés ou massacrés.

Quant à moi, la gaieté m'avait à jamais quittée et j'en venais à regretter l'insouciance des années à Saint-Cyr.

Une fois de plus, Marguerite prit beaucoup de soin à choisir sa toilette et je fis de même pour qu'elle me crût au diapason de sa joie...

La voiture nous laissa dans la cour Royale et j'en descendais lorsqu'une jeune fille se précipita vers moi. Le premier mouvement de stupeur passé, je reconnus Louise. Mon désarroi était tel qu'un flot de sentiments contradictoires m'envahit. J'étais heureuse de la revoir et mortifiée que ce fût dans de si pénibles circonstances. Lors de nos longues conversations la nuit dans le dortoir de la maison de Saint-Cyr[1], j'avais assuré à mes amies, Louise, Hortense et Isabeau, que vivre à la Cour était mon souhait le plus cher et il me coûtait de montrer à Louise que cette vie factice me pesait à présent.

Louise m'apprit qu'elle chantait pour la reine d'Angleterre actuellement en exil avec son époux le roi Jacques II et leur fils au château de Saint-Germain, qu'elle cherchait toujours sa mère et que son père continuait de l'ignorer.

1. Voir le tome I, *Les Comédiennes de monsieur Racine.*

J'aurais pu alors lui avouer que ma situation était pire que la sienne. Je ne sais si c'est l'orgueil qui m'en empêcha ou plus sûrement la peur de fondre en sanglots en exposant mes malheurs. Je me raidis donc pour rester maître de moi et de l'image de « rebelle » que mes amies avaient de moi.

Je m'excusai.

— J'aimerais pouvoir vous aider... mais je ne suis pas très disponible. Je suis à Versailles depuis peu...

Un malaise s'insinua entre nous... C'est Louise qui le dissipa.

— Ne vous inquiétez pas pour moi, m'assura-t-elle. J'ai ici quelques amies qui me prêteront main-forte.

Je rejoignis Marguerite qui, à mon grand désespoir, cherchait à être le plus près possible de la scène. J'aperçus alors Simon dans une allée et j'abandonnai Marguerite en lui disant :

— Excusez-moi, je vais saluer mon frère.

Dès que je fus devant lui, je l'entraînai derrière un bosquet et je lui annonçai :

— François est emprisonné aux Tournelles. Il doit partir pour les galères.

— Je le savais, mais je ne vous en avais pas informée puisque, de toute façon, nous ne pouvons rien pour lui.

Je m'emportai :

— Vous pourriez exiger une avance sur vos gages pour acheter sa liberté, implorer le pardon du Roi, agir !

— Le chagrin vous égare. Mes gages n'y suffiraient pas et le Roi n'accorde pas si facilement la libération d'un prisonnier huguenot. Par contre, son destin est entre vos mains.

— Que voulez-vous dire ?

— Épousez le marquis de Réaumont et vous sauvez François.

Je m'étranglai d'indignation :

— Co... comment osez-vous ?

— Ne vous méprenez pas. Ce personnage est odieux, je vous l'accorde... mais il est apprécié du Roi, il a de la fortune et avec son appui, non seulement vous sauvez François, mais nous pourrons enfin savoir ce qu'il est advenu de notre mère et d'Héloïse. Et puis le marquis n'est plus très jeune et vous serez bientôt une riche veuve. Libre à vous, à ce moment-là, d'épouser l'homme que vous aimez.

Abasourdie par cette perspective, j'articulai avec peine :

— Êtes-vous certain de ce que vous avancez ? insistai-je.

— Le marquis s'est personnellement occupé des dragonnades et, à mon avis, il peut facilement connaître le destin de tous les protestants qui ont quitté le royaume. Réfléchissez-y.

Simon me laissa là, complètement abasourdie, pour rejoindre M. de Pontchartrain qui venait de le rappeler à lui d'un geste impatient de la main.

Je demeurai cachée derrière un if pendant tout le concert. J'entendis vaguement la voix céleste de Louise et elle me réconforta un peu.

Soudain, une main se posa sur mon épaule. Je sursautai et mon sang se glaça.

C'était lui. Le marquis.

Je me retournai pour découvrir Claude de Forbin, son chapeau à la main.

— Eh bien, me dit-il, voilà un visage bien chagrin. Est-ce parce que vous devez encore vous cacher de Mme de Maintenon ?

Cela me gênait d'être prise pour une gamine redoutant une punition et puis j'avais besoin de décharger mon cœur et je lui expliquai tout.

— Ma pauvre enfant, soupira-t-il, la vie ne vous épargne point et si j'avais un moyen de vous aider, croyez bien que je l'emploierais... mais j'ai investi tout ce que je possédais pour ce voyage au Siam et...

— Et si je partais avec vous ! m'exclamai-je. Marguerite m'a dit que dans ce pays-là, on ramassait les pierres précieuses à la pelle, que les rivières charriaient des pépites d'or et que les tissus de soie étaient les plus beaux du monde. Quelques-unes de ces richesses me permettraient de payer la rançon de François et délieraient les langues au sujet de ma mère et de ma sœur !

Je m'étais enflammée en parlant, croyant tenir enfin la solution de mes problèmes. Le chevalier tempéra mes ardeurs :

— On le dit, en effet. Malheureusement, aucune femme n'embarque avec nous pour ce périlleux voyage. Je pars avec le chevalier de Chaumont et l'abbé de Choisy car il est question de convertir le prince de Siam et tous ses sujets au christianisme. Assurément, la place d'une jeune fille n'est pas dans ce genre d'expédition.

— Alors, il ne me reste plus qu'à épouser le marquis, soupirai-je.

Ma résignation le troubla car il ajouta :

— Je vous promets que si le Siam est aussi riche qu'on le prétend, je vous rapporterai quelques pierreries pour sauver votre fiancé.

— Ah, merci, monsieur... vous êtes un homme de cœur et...

À ce moment-là, Marguerite fut devant nous. Son visage marqua sa désapprobation lorsqu'elle nous surprit en train de deviser et elle me tança vertement :

— Je vous ai cherchée partout ! Sa Majesté souhaite admirer le visage qui a servi de modèle à *La Nymphe aux oiseaux*.

Puis se tournant vers le chevalier, elle lui dit assez sèchement :

— Et vous aussi, monsieur, Sa Majesté vous attend pour vous faire découvrir les présents qu'Elle destine au roi de Siam.

Je m'affolai. Il fallait sur l'heure qu'une idée vînt me tirer de ce mauvais pas.

CHAPITRE

13

On m'aurait conduite à l'échafaud, je n'aurais pas fait plus piètre figure. Je me disais que tout allait s'arrêter là. Que j'allais être humiliée, chassée de Versailles, que je ne pourrais pas sauver François et que jamais plus je n'aurais de nouvelles de ma mère et de ma sœur. Pour échapper à ce supplice, je suppliai Marguerite en lui emboîtant le pas :

— Vous ne pouvez exiger cela de moi... Si Mme de Maintenon me reconnaît...

— Me croyez-vous donc si sotte que je veuille vous jeter dans la gueule du loup ? Ma tante est souffrante et ne quitte pas sa chambre depuis deux jours.

L'étau qui me serrait la gorge se relâcha.

— Et puis, j'ai une excellente nouvelle, poursuivit-elle. Je viens de rencontrer le bailli de Noailles, lieutenant général des galères. C'est un ami très cher. Je lui ai parlé de vos craintes à propos de François. Il n'est pas en son pouvoir de le libérer, mais il m'a promis de retarder son départ autant que possible... le temps pour vous de recueillir l'argent nécessaire à sa libération.

Des larmes de joie m'inondèrent et je lui sautai au cou pour la remercier :

— Ah, Marguerite, jamais je n'oublierai ce que vous avez fait pour lui.

— Allons, s'exclama-t-elle en s'éloignant un peu de moi, je vous avais promis mon aide, j'ai tenu parole.

Je respirais mieux à présent et, lorsque j'arrivai devant le Roi, je pus lui faire ma plus profonde révérence et mon plus gracieux sourire.

— Majesté, voici mon amie, Charlotte de Lestrange, que M. Coustou a choisie pour être sa *Nymphe aux oiseaux*.

— M. Coustou a bien choisi, répondit le Roi.

Je rougis. En me relevant, j'aperçus Nicolas Coustou à côté d'un buste de marbre. J'eus du mal à me reconnaître. Il me semblait que les traits de la statue étaient beaucoup plus fins que les miens, le sourire plus doux et le port de tête plus altier.

— Cette statue montrera au roi de Siam le talent de nos artistes et la beauté des demoiselles de notre cour, poursuivit le Roi.

Nicolas Coustou s'inclina avec modestie et je fis de même.

— Ah, monsieur de Forbin, venez donc admirer les présents que vous emporterez demain au Siam.

Le chevalier s'approcha. Nous suivîmes à quelques pas derrière lui et nous nous extasiâmes. Il y avait là des miroirs et des chandeliers d'argent, douze pièces de brocart d'or et d'argent et trente autres de drap écarlate et bleu, deux horloges et trois pendules, deux grands tapis de la Savonnerie, un bassin de cristal de roche garni d'or, un autre garni de cuivre doré, trente pièces de cristal enrichies de vermeil, un portrait du Roi à cheval, des armes, des chapeaux, des rubans, des habits et une lunette qui distinguait les objets à deux lieues de distance[1]...

— Ainsi, c'est un peu de la grandeur de la France qui franchira les mers pour éblouir le prince d'un pays lointain, expliqua le Roi.

Et tout à coup, je le vis... le marquis.

Il avait un curieux sourire aux coins des lèvres, comme pour me dire : « Tu ne m'échapperas pas. »

1. La liste est exacte.

Pour l'heure, j'étais protégée par la foule. Il ne pouvait tout de même pas m'enlever au milieu de tous ces gens ! Je me sentis forte. Je redressai la tête et poussai même l'arrogance jusqu'à le toiser avec dédain. Il s'arrangea pour me frôler en passant à mon côté, et me souffla à l'oreille :

— Je t'aurai !

Je frissonnai.

Le Roi et la Cour quittèrent bientôt le bosquet où les présents avaient été exposés sur des tables recouvertes de nappes décorées de fleurs et de branchages et continuèrent leur promenade dans le parc.

Marguerite et moi ne suivîmes pas le Roi. Elle parce qu'elle voulait rester avec M. de Forbin qui supervisait le rangement de toutes ces belles choses dans de grandes malles. Et moi parce que le marquis faisait partie des courtisans qui emboîtèrent le pas au Roi.

— Ainsi, vous nous quittez dès demain ? Vous allez nous manquer, se désola Marguerite.

— Je suis aux ordres de Sa Majesté et nous devons profiter de la belle saison pour embarquer. C'est que le voyage est long et périlleux. Il faut six mois pour atteindre le Siam, car des escales sont nécessaires afin de s'approvisionner en eau et en vivres.

— Six mois sur un bateau ! Ciel, j'en mourrais ! s'exclama Marguerite en portant la main à son front.

— Ce n'est effectivement pas la place d'une jeune femme.

Marguerite se rendit-elle compte qu'il ne servait à rien d'user de son charme auprès d'un homme qui partait pour si longtemps ? Elle quitta M. de Forbin pour s'approcher de Nicolas Coustou occupé à placer le buste de sa *Nymphe aux oiseaux* dans une caisse pleine de sciure.

— Quand reprendrons-nous les séances de pose pour votre sculpture *La Seine et la Marne* ? s'informa-t-elle en agitant gracieusement son éventail.

— Dès demain, madame, si vous le souhaitez.

— Mais évidemment que je le souhaite. N'avez-vous pas compris que je suis abominablement jalouse de n'avoir point mon buste en partance pour le Siam ?

— Le vôtre, madame, ornera le parc de Marly.

— La *Nymphe aux oiseaux* y sera aussi, bougonna-t-elle.

— C'est le Roi qui décide, madame, et j'exécute ses ordres.

— Je ne vous reproche rien, monsieur Coustou, j'attends seulement que vous vous occupiez de moi... enfin, de la statue dont je suis le modèle.

Le sculpteur semblait mal à l'aise, mais Marguerite fit mine de l'ignorer, tant elle aimait l'art de séduire.

À ce moment-là, un garçon bleu[1] se présenta, s'inclina devant Marguerite et lui dit :

— Mme de Maintenon souhaiterait vous entretenir d'un important sujet.

Marguerite fronça les sourcils. Je croisai son regard.

Mme de Maintenon aurait-elle appris que la jeune fille qui s'était échappée de Saint-Cyr vivait à Versailles avec la complicité de sa nièce ? Mon cœur s'emballa.

Marguerite posa une main sur mon bras et me rassura :

— Il y a mille choses importantes à Versailles... cela va de la couleur d'une étoffe à l'arrestation d'un tire-gousset, alors ne vous inquiétez pas.

Elle suivit le messager, mais l'angoisse me faisait trembler. Je jugeai plus prudent de regagner l'appartement que Marguerite et moi occupions dans le château. C'est là qu'elle viendrait me donner le résultat de son entrevue avec Mme de Maintenon.

1. Jeune valet ainsi nommé en raison de la couleur de son habit.

Je saluai Nicolas Coustou et souhaitai bon voyage à M. de Forbin. Les malles avaient été emportées par des valets et les deux hommes s'apprêtaient à partir eux aussi. M. de Forbin m'assura enfermant la dernière :

— Je vous rapporterai quelques pierreries du Siam pour sauver votre ami.

Ne voulant pas être en reste, Nicolas m'assura :

— Je ne peux vous promettre de trésor mais Sa Majesté vient de me payer une statue et c'est de bon cœur que je vous en offre le prix.

— Je vous remercie, messieurs, pour vos propositions qui me vont droit au cœur. Cependant, je serais la pire des gourgandines d'accepter de l'argent de deux gentilshommes pour sauver celui que j'aime. Mon honneur me commande donc de refuser, mais j'accepte avec reconnaissance votre amitié. Marguerite vient de m'apprendre que le départ de François pour les galères serait retardé. Cela me laisse le temps de mettre tout en œuvre pour le sauver.

Ils s'inclinèrent devant mon courage et me laissèrent regagner le château.

J'étais à quelques mètres de la porte lorsqu'un bruit de pas me fit me retourner. C'était le marquis, accompagné de deux de ses hommes. Je poussai un cri, soulevai ma jupe et me mis à courir. Les deux sbires du marquis se lancèrent à ma poursuite. J'étais perdue. Le château avait été pratiquement vidé de ses occupants, lesquels suivaient le Roi, et il ne restait que les valets, les femmes de chambre et quelques personnes âgées devisant dans les salons. Je m'engouffrai dans l'entrée et j'empruntai l'escalier conduisant à l'étage afin de m'enfermer dans la première pièce dont la porte serait ouverte. J'avais à peine gravi trois marches que la voix de la personne qui descendait vers moi me paralysa :

— Que l'on approche ma chaise à porteurs ! Puisque je me sens mieux, je vais aller à la rencontre de Sa Majesté.

Mme de Maintenon !

J'étais prise entre deux feux : derrière moi, deux hommes du marquis. Devant moi, celle que je devais éviter à tout prix.

Avisant une malle d'osier posée au pied de l'escalier, j'en soulevai le couvercle et me glissai à l'intérieur. Mon cœur battait la chamade. J'espérais que le bruit de ma respiration saccadée ne me trahirait pas. J'entendis le froissement du tissu soyeux de la robe de Mme de Maintenon contre le jonc tressé. Je bloquai mon souffle.

— Voyons, messieurs, un peu de tenue ! s'emporta la marquise. Voilà que vous avez manqué me renverser !

Mes poursuivants s'excusèrent. Puis, le silence se faisant de nouveau, j'en déduisis qu'ils avaient battu en retraite.

Peu à peu, je me calmai. Toutefois, je pensai plus prudent d'attendre quelques minutes supplémentaires avant de sortir de ma cachette. Je m'allongeai dans la malle aussi confortablement que possible. Cela ne fut pas trop difficile car elle contenait vraisemblablement une tapisserie ou des tapis moelleux et sa longueur correspondait à peu près à ma taille.

Soudain, un bruit de pas sur le dallage !

Je me sentis soulevée de terre.

Les sbires du marquis m'avaient-ils retrouvée et avait-il choisi de m'enlever ainsi pour ne pas donner l'alerte ?

CHAPITRE

14

Bientôt, la malle fut déposée sur un chariot rangé dans la cour d'honneur si j'en jugeais par le bruit des roues sur les pavés, les cris des cochers, les vitupérations des porteurs de chaises et les hennissements des chevaux. Une voix s'éleva pour dominer le brouhaha :

— Combien en reste-t-il encore ?

— Quatre, monsieur.

— Dépêchez-vous, nous devons avoir libéré la place dans moins d'une heure. On nous attend à Brest !

À Brest ? N'était-ce pas de ce port que M. de Forbin embarquait pour le Siam ?

Pensant que le chevalier était dans les parages et qu'il saurait me protéger, je résolus de me montrer.

Hélas ! au moment où j'allais soulever le couvercle de la malle, un objet lourd s'abattit dessus. J'étais prisonnière.

J'hésitai. Devais-je crier pour me signaler ? Ç'eût été attirer l'attention sur moi alors que j'étais dans une fâcheuse posture pouvant m'occasionner les pires ennuis.

Je décidai de ne signaler ma présence que lorsque je reconnaîtrais la voix de M. de Forbin...

Tout à coup, le chariot s'ébranla.

Prise de panique, j'appelai au secours et je tambourinai de mes deux poings contre l'osier, mais le bruit des roues sur les pavés couvrit ma voix.

Nous roulâmes longtemps et je dus m'assoupir. C'est le silence qui me réveilla. Nous étions arrêtés. Aucune lueur ne filtrait entre les joncs tressés. C'était la nuit. Le cocher et l'escorte avaient dû s'arrêter dans une auberge pour y dormir.

J'essayai de soulever le couvercle de la malle, mais j'eus beau pousser de toutes mes forces, il ne bougea pas d'un pouce. J'avais soif, faim, mal dans les jambes et le dos.

Un cheval arriva au galop. Un cavalier en descendit. Il s'approcha du chariot. Tapota ici et là pour vérifier sans doute que les malles n'avaient pas souffert du voyage. Que devais-je faire ? Me signaler ou garder le silence ? Je n'hésitai pas longtemps parce qu'à dire vrai, je n'en pouvais plus, et je hurlai :

— Au secours ! Je suis enfermée ! Délivrez-moi !

Les gestes s'arrêtèrent. Je repris :

— Au secours ! Délivrez-moi !

— Qui parle ? me demanda une voix.

Je n'osais encore dire mon nom, mais j'expliquai :

— Je... je me suis laissé enfermer dans une malle par mégarde et...

Jugeant à ma voix que je n'étais pas un dangereux repris de justice, un espion ou un quelconque malfrat, le cavalier poussa le coffre qui me retenait prisonnière et souleva le couvercle de la malle d'osier. Il faisait nuit et aucun flambeau ne nous éclairait, aussi c'est assez craintivement que je levai le visage vers mon sauveur tandis qu'il me dévisageait avec curiosité.

— Vous ! s'exclama-t-il.

Il me sembla que cette voix ne m'était pas inconnue, mais je ne pouvais toutefois pas reconnaître l'homme car un long manteau sombre l'enveloppait et un chapeau lui couvrait le front. Il ôta promptement son couvre-chef et je poussai un cri :

— Monsieur de Forbin !

Il me tendit la main pour m'aider à enjamber les rebords de la malle mais, au lieu de le remercier, je me retrouvai secouée de sanglots nerveux. Il me prit dans ses bras et me berça comme si j'avais été une enfant en répétant :

— Voilà, c'est fini, vous êtes sauvée !

Lorsque je fus calmée, il m'interrogea :

— Pourquoi diantre étiez-vous dans cette malle ?

Je le lui contai.

— Reposez-vous cette nuit. Au matin, je vous ferai reconduire à Versailles, me dit-il.

— Non ! criai-je. Là-bas je devrai encore fuir Mme de Maintenon et me cacher du marquis... et un jour je tomberai sur l'un ou sur l'autre et je serai perdue. Emmenez-moi avec vous !

Il fronça les sourcils.

— Impossible, lâcha-t-il. Je vous l'ai déjà dit. Ce n'est pas un voyage d'agrément... Il y a les tempêtes, les pirates, les maladies et...

— Cela ne me fait pas peur.

Ma détermination le fit sourire et je crus la partie gagnée. Pourtant il reprit :

— Vous êtes courageuse, mais la vie à bord est cent fois plus terrible que la vie à Versailles. Il doit bien y avoir une solution pour vous éviter de croiser ceux que vous craignez. Je vais y réfléchir.

Comme Marguerite et Simon, M. de Forbin ne voyait pas que j'étais un gibier chassé, affolé, n'ayant d'abri nulle part.

Devant ma mine boudeuse, il enchaîna :

— Je suis certain qu'après une bonne nuit de sommeil vous penserez que j'ai raison.

J'étais quant à moi certaine du contraire.

Je ne fermai pas l'œil de la nuit.

Au matin, j'avais un plan. Un plan complètement fou. Mais il me parut moins pire que si j'avais dû regagner Versailles.

Je me levai dès potron-minet. La cuisine était encore déserte et je bus à grandes goulées le lait d'une cruche, je dérobai un morceau de pain et je sortis dans la cour de l'auberge. L'air était doux. Dans un hangar, j'aperçus le chariot chargé de coffres et un garde endormi contre une roue. J'allais pouvoir me faufiler une nouvelle fois dans une malle.

À ce moment-là, un souffle de vent agita des vêtements qui séchaient à une corde fixée sur le côté du bâtiment. Mon regard se porta sur eux. C'étaient des habits d'homme : une paire de braies rapiécées et une large chemise comme en portent les valets de ferme.

Aussitôt je les décrochai et, avisant la porte entrouverte de l'écurie où j'entendais hennir les chevaux, je courus m'y changer. Je quittai ma robe de brocart, mon jupon, ma jupe et même mon corset et j'enfilai le pantalon et la chemise. Avec si peu de tissu sur moi, je me sentis quasiment nue, ce qui était fort désagréable. Remarquant un informe chapeau de feutre noir oublié à un clou, je ramenai ma chevelure sur la tête et l'enfouis dans le couvre-chef dont je rabattis les larges bords sur mes yeux.

Puis je fis semblant de m'occuper des chevaux.

Quelques instants plus tard, le chevalier cria :

— Vérifiez qu'elle n'est pas cachée dans une malle !

Je souris. J'avais bien fait d'éviter cette cachette. Je jetai un œil prudent à l'extérieur pour observer les gens en armes.

— La coquine a dû filer ! Elle ne voulait pas retourner à Versailles, expliqua le chevalier.

Il se résigna un peu vite à mon goût et je fus déçue qu'il ne lançât pas des gens à ma poursuite. J'avais cru qu'il aurait fait plus d'efforts pour me retrouver. Il entra à nouveau dans l'auberge. Les gens qui l'accompagnaient le suivirent.

Personne aux alentours. Je montai sur le chariot. Là, je m'arc-boutai pour pousser une malle et me ménager un petit espace dans le fond, où je me blottis.

Lorsque le chariot s'ébranla, je priai le ciel qu'on ne me découvrît pas avant l'embarquement à Brest. Car j'avais décidé de partir pour le Siam.

CHAPITRE

15

Nous arrivâmes à Brest à la nuit tombée. Ce fut ma chance.

Le chariot s'arrêta sur le quai et les gardes qui l'avaient escorté entrèrent dans une auberge pour se désaltérer. Il n'en resta qu'un qui, fusil à l'épaule, entreprit d'en faire le tour d'un pas régulier. J'attendis le moment propice et je sautai à terre, courant me cacher derrière des barriques rangées à proximité.

À présent, il me fallait monter à bord du navire qui partait pour le Siam. Mais lequel était-ce ? Il y en avait plusieurs amarrés le long des quais. Pour le savoir, il me suffirait d'interroger l'un des nombreux matelots qui, à cette heure-là, entraient ou sortaient des tavernes. J'espérais qu'avec mon accoutrement personne ne découvrirait que j'étais une fille.

Je quittais mon abri lorsqu'on m'attrapa par l'épaule :

— Holà, mon garçon ! me lança un homme. N'aurais-tu pas envie de découvrir du pays plutôt que de moisir dans ce port ?

J'affermis ma voix et je demandai :

— Et de quel pays s'agit-il ?

— Le plus beau, le plus envoûtant et le plus riche : le Siam.

Mon cœur s'emballa. Se pouvait-il que cet inconnu me propose d'aller à l'endroit que je convoitais ?

— Tu as l'étoffe du marin. Viens donc par là que je te fasse signer ton engagement !

Je compris alors que l'homme était un agent recruteur chargé d'engager de gré ou de force des mousses pour les navires en partance. C'était l'occasion rêvée ! Je signai sans le lire le papier qu'il me tendit. Il m'affirma que ma solde serait de six livres par mois, ce dont je me moquais. Ravi de n'avoir usé ni de son boniment ni de sa force pour me recruter, il m'expliqua avant de disparaître :

— Tu embarqueras sur *L'Oiseau*. Présente-toi demain matin avec ton paquetage et ce papier, tu seras bien accueilli.

J'étais si heureuse de voir la facilité avec laquelle mon projet se réalisait que je m'allongeai derrière un amas de ballots où je m'endormis.

Un brouhaha me réveilla.

Des hommes charriaient à bord des bateaux des tonneaux, des malles, des animaux vivants, des bottes de foin, des barriques d'eau et toutes sortes de marchandises que je ne pouvais identifier. Cette effervescence m'effraya. Je n'y étais point habituée. Un homme qui portait sur la tête une caisse pleine de poulets piaillant me bouscula et s'exclama :

— Holà gamin, ne reste pas les bras ballants ! Va plutôt donner un coup de main !

Je n'étais pas venue jusque-là pour devenir portefaix et je m'esquivai, longeant le quai à la recherche de *L'Oiseau.* J'admirai la hauteur des navires, leurs sculptures, leurs couleurs. Je me disais que, sans ces pénibles circonstances, jamais je n'aurais quitté mon Vivarais pour parcourir les mers. Si Louise, Isabeau et Hortense l'apprenaient, elles en seraient stupéfaites !

Enfin, je découvris *L'Oiseau.* Il avait une superbe coque bleu roi. De lourdes sculptures dorées encadraient une haute galerie vitrée et des mâts si hauts, si hauts que la tête me tourna lorsque je la levai pour en voir le sommet.

— Il est beau, n'est-ce pas ? lança quelqu'un qui s'était arrêté à mon côté.

Étonnée, je murmurai :

— Oui.

— Tu embarques ce matin ?

— Oui.

— Moi aussi. Mais je le connais bien. Il jauge neuf cents tonneaux et porte quarante-six canons. Il a cent vingt-huit pieds de long et le grand mât en fait cent vingt.

Tout cela ne me disait rien, mais je hochai la tête comme si j'étais un vieux loup de mer. Mon voisin reprit :

— J'suis du pays du Léon[1]. J'ai déjà navigué sur *L'Oiseau,* c'est un vaisseau robuste et le commandant n'est pas un méchant homme, tu verras. Je m'appelle Ewen, et toi ?

— Charles.

C'est le prénom que j'avais donné au sergent recruteur. Lorsqu'il m'avait demandé de décliner mon identité, j'avais naïvement commencé : « Charl... » puis je m'étais arrêtée net. Il avait inscrit Charles sur le papier. Quant au nom de famille, je lui avais donné : « Vivarais », qu'il avait écrit : « Viva ré ». Je lui avais annoncé que j'avais seize ans et cela lui avait suffi.

1. Au nord-ouest de la Bretagne.

— Tu as l'air complètement perdu. Tu t'es laissé embobiner par un recruteur et la mer te fait peur, c'est ça ?

— Oui.

— T'as pas l'air bien costaud... mais je t'aiderai, je suis gabier[1] et je t'expliquerai les manœuvres... allez, viens, faut y aller maintenant.

Cette amitié nouvelle me réchauffa le cœur.

Nous empruntâmes la passerelle. Je tendis mon papier à l'homme vêtu d'une vareuse bleue qui se tenait en haut de la passerelle.

— C'est ton premier engagement ? m'interrogea-t-il.

— Oui.

Le maître d'équipage leva les yeux de sa liste et, les posant sur celui qui m'accompagnait, il s'exclama :

— Ah, Ewen ! Content de te revoir mon gars ! Tu connais la nouvelle recrue ?

— C'est un ami.

— Tu lui apprendras donc le métier. Le bateau n'a plus de secret pour toi !

Ewen opina du chef puis il me conduisit dans l'entrepont, où des mousses étaient déjà allongés sur des hamacs. Lorsqu'ils aperçurent mon ami, ils se levèrent et le saluèrent. Je compris qu'Ewen était

1. Matelot chargé du travail dans la voilure.

respecté de tous. J'avais un allié de poids et ce n'était pas pour me déplaire. Le lieu était bas de plafond et fort exigu, il sentait le tabac, l'alcool, la crasse, et nous allions tous nous y entasser pour dormir ! Comment pourrais-je cacher que j'étais une fille ? Et si par malheur mes compagnons le découvraient ne me feraient-ils pas subir les pires outrages ?

Je n'eus pas le temps d'approfondir mes craintes car on nous appela pour lever l'ancre.

Pendant qu'un groupe s'affairait à rouler avec art les cordages qui nous retenaient au port, un autre grimpa sur les vergues des basses voiles et des huniers pour larguer les voiles.

— Observe-moi bien, me dit Ewen, demain tu viendras avec moi. Et souviens-toi, dans la mâture, il y a une main pour le bateau, une main pour toi.

L'Oiseau s'éloigna du quai en même temps qu'un autre vaisseau — *La Maligne* — qui faisait partie de l'expédition.

Les équipages des deux navires crièrent à plusieurs reprises : « Vive le Roi ! » tandis que les officiers et les vingt-cinq hommes embarqués avec nous saluaient le départ en levant leur chapeau. Claude de Forbin était parmi eux et cela me rassura.

Je regardai s'éloigner la terre de France et une sourde angoisse m'envahit. Puis, au fur et à mesure que nous gagnions la pleine mer, un étrange calme m'habita. J'étais là pour sauver François, ma mère et ma sœur, et rien ne devait me détourner de ce but.

La première nuit, les craquements du bateau, son balancement, l'odeur de cette soute et la respiration de tous ces garçons autour de moi m'empêchèrent de dormir.

À cinq heures du matin, un coup de sifflet réveilla mes compagnons. En deux minutes, nous fûmes sur pied et nous montâmes sur le pont, croisant la bordée[1] descendante, qui allait se coucher dans les hamacs que nous venions d'abandonner. Ewen était en pleine forme alors que j'avais bien du mal à tenir debout, la fatigue, le roulis et des nausées qui me soulevaient le cœur en étaient la cause. Mais ne voulant pas faire regretter à Ewen son amitié, je m'appliquai de mon mieux à exécuter les ordres.

On m'avait remis une tenue de mousse qui comportait un bonnet pointu enserrant les oreilles. Je roulai mes cheveux à l'intérieur et l'enfonçai le plus profondément possible sur mon front, puis je passai mes mains sales sur mon visage pour en cacher la blancheur.

Nous commençâmes par récurer le pont à grande eau. Certains s'en amusèrent. Pour moi, ce fut

1. Subdivision de l'équipage. En général l'équipage est divisé en deux bordées.

éprouvant. J'étais gauche et maladroite, ce qui fit rire les autres mousses, souvent beaucoup plus jeunes que moi et plus habiles.

— Hé ! on dirait que t'as jamais tenu un balai ! plaisanta un rouquin.

Il ne croyait pas si bien dire.

— En tout cas, t'as pas des mains de marin... et tu as des pieds aussi fin que ceux des filles. Tu serais pas « de la haute[1] » ?

Je ne devais pas être découverte. J'inventai aussitôt une histoire plausible :

— Si, mais je suis le dernier. Alors pour moi, point de titre et point d'héritage. Je me suis enrôlé sur ce vaisseau pour aller chercher fortune dans les Indes.

— Eh ben, t'es pas au bout de tes peines ! se moqua un autre.

Ewen avait entendu la conversation. Il me regarda bizarrement et ajouta :

— La fortune, c'est ce que nous souhaitons tous !

— Ouais... mais y a plus de chances de l'obtenir en embarquant sur des vaisseaux pirates qu'en servant le Roi ! assura un grand dadais brun. À la première opportunité, je me fais pirate.

1. « Être de la haute » : être de la noblesse.

— Y a plus de chances aussi de laisser sa peau dans les combats !

— Je ne suis pas une poule mouillée, moi ! Le courage ne me manque pas !

Je craignais que la conversation ne s'envenime, entraînant une bagarre qui aurait fait éclater aux yeux de tous mon incapacité à me battre.

Heureusement, un gradé nous lança un ordre et tous se ruèrent sur le grand mât.

— Le vent devient trop fort, m'expliqua Ewen, la mer se creuse, il faut serrer les cacatois et les perroquets[1].

Je levai les yeux vers la cime du mât... Jamais je ne pourrais monter là-haut. Le bateau plongeait dans des vagues énormes et on avait peine à tenir debout... alors dans les cordages... Ewen m'encouragea :

— On s'agrippe aux cordes des mains et des pieds et on tient mieux que sur le sol... et souviens-toi de ce que je t'ai appris : une main pour le bateau...

— ... une main pour soi, ajoutai-je d'une voix éteinte.

— Allez, si tu ne veux pas finir ta vie à récurer le pont, il faut que tu apprennes. Gabier, c'est passionnant. Quand tu y auras goûté, tu ne pourras plus t'en passer.

1. Noms des voiles du grand mât.

J'en doutais. Pendant une fraction de seconde, je me dis que j'allais mourir là et que les miens ne seraient pas sauvés.

Je serrai les cordes et grimpai derrière lui sans regarder en dessous. Je calquais mes gestes sur les siens alors que les éclaboussures des énormes vagues mouillaient nos vêtements et que le vent nous glaçait. J'étais si concentrée sur le travail à accomplir et si attentive à rester accrochée dans les cordages que je ne sentis pas que j'avais les pieds et les mains en sang.

Heureusement, le vent se calma rapidement et ce qui devait être une tempête ne fut finalement qu'un grain. Il fallut grimper à nouveau au grand mât pour rétablir la voilure. Un gabier me dit alors :

— Alors, castor[1], tu t'y fais ? Mesure ta chance, notre route ne passe pas par le cap Horn. Là-bas le vent t'arrache de la vergue et y a du verglas plein les cordages !

Lorsque je posai enfin les pieds sur le pont, Ewen s'écria :

— Pour Charles qui a fait son premier mât : Vivat ! Vivat ! Vivat !

Et tous reprirent : « Vivat ! Vivat ! Vivat ! »

Ce qui me fit chaud au cœur. J'avais l'impression d'entrer dans une nouvelle famille : celle des mousses.

1. Mousse débutant.

À la nuit tombée, après avoir mangé un bol de pois mal cuits, nous regagnâmes nos hamacs. Le mien touchait celui d'Ewen et je me cramponnai à un bord pour ne pas rouler contre lui, mais j'étais si épuisée que je m'endormis. Au petit matin, lorsque je m'éveillai, il me dévisageait. Je compris qu'il avait découvert ma véritable identité. Il me mit sa main sur la bouche pour m'empêcher de crier. C'en était fait de moi.

CHAPITRE 16

Je sais que tu es une fille... mais ne crie pas, je ne te toucherai pas. Je ne suis pas un goujat. Explique-moi.

J'étais si gênée que lui mentir ne me vint même pas à l'esprit et je lui contai brièvement ce qui m'avait conduite sur ce vaisseau.

— Alors, vous connaissez bien M. de Forbin, conclut-il.

Il me vouvoya, impressionné sans doute parce que j'étais une demoiselle ayant vécu à Versailles dans l'entourage du Roi.

— Oui. C'est un peu à cause de lui si je suis ici.

— Il faut le prévenir.

— Non !

J'avais crié. Ewen posa à nouveau sa main sur mes lèvres. Un mousse s'agita un peu plus loin, un autre grogna qu'on le laissât dormir.

— Vous avez du courage, mais vous ne pouvez pas continuer à jouer le rôle de mousse. Vous avez vu vos mains et vos pieds ?

La honte me rougit le front. J'étais choquée qu'il ait pu, pendant mon sommeil, examiner mes mains et surtout mes pieds. Mais il est vrai que le frottement des cordes avait laissé des stries ensanglantées sur ma peau et qu'elle s'en allait par endroits.

— Cette vie n'est pas pour vous et vous ne tiendrez pas toute la traversée.

Il avait raison.

— De toute façon, maintenant que nous sommes en pleine mer, que voulez-vous qu'il fasse ? Il ne vous jettera pas par-dessus bord et nous ne ferons pas demi-tour. Peut-être aurez-vous droit à quelques reproches, pourtant ce ne sera pas pire que lorsque tous ceux-là découvriront la vérité, me dit-il en désignant d'un geste du bras les matelots endormis.

J'hésitais encore.

— Six mois en mer sans voir de femmes peut les rendre agressifs.

Ce dernier argument me décida.

— Je vous remercie pour votre franchise et pour ce que vous faites pour moi.

— Je vous conseille de vous lever et d'aller voir M. de Forbin qui vous prendra sous sa protection.

Je me faufilai hors de l'entrepont juste comme le sifflet réveillait les matelots. Puis, aussi discrètement que possible, je descendis l'échelle conduisant au carré des officiers.

Une voix familière me fit sursauter :

— Oh, le castor ! Tu n'as rien à faire ici !

Je me retournai. C'était le chevalier. Il s'arrêta net, écarquilla les yeux et bredouilla, stupéfait :

— Non... ce n'est pas possible... vous ?

— Moi, lâchai-je.

— Que faites-vous donc sur ce bateau, déguisée en mousse ?

Se rendant compte qu'il connaissait la réponse, il haussa les épaules et me tendit galamment la main pour que je ne tombe pas en descendant les deux dernières marches. Il vit alors mes pieds ensanglantés et mes doigts abîmés et il s'écria :

— Dieu ! Dans quel état êtes-vous ?

Il jeta des regards inquiets alentour, mais, par chance, comme il était encore tôt, nous étions seuls.

— Venez dans ma cabine, nous parlerons plus commodément.

Je le suivis, soulagée. J'étais certaine qu'il allait m'aider.

Je m'assis sur l'étroite couche, tandis qu'il marchait nerveusement : deux pas à droite, deux pas à gauche...

— Que vais-je faire de vous ? se lamenta-t-il après un long silence. Annoncer que vous êtes une passagère clandestine ne vous attirera que des ennuis. Pourtant, je ne peux vous débarquer que dans trois mois, lorsque nous ferons escale au cap de Bonne-Espérance !

— Je refuse de débarquer avant d'atteindre le Siam !

Ma fougue lui arracha un sourire.

— Ma pauvre amie, me dit-il doucement, l'or, les pierreries ne se trouvent pas comme ça... et même si le prix est bas, il faut quand même les acheter.

Cette vérité me fit l'effet d'une gifle. J'avais été bien innocente d'imaginer qu'il suffisait de partir sans le sou dans un pays riche pour revenir riche. Les larmes inondèrent mes joues.

Désolé d'avoir brisé mon rêve, le chevalier reprit :

— Calmez-vous. Je vais faire l'impossible pour vous aider. En attendant, il faut bien que j'aille prévenir le capitaine Vaudricourt que nous avons une demoiselle à bord...

Pour effacer mon instant de faiblesse, je lançai sur le ton de la provocation :

— Rien ne vous oblige à révéler mon identité ! De toute façon, je n'ai aucun vêtement féminin et personne à bord n'est susceptible de m'en prêter, alors que mes habits de mousse peuvent donner à penser que je suis un garçon.

— Voyons, vous n'y songez pas, ce serait...

Je ne le laissai pas terminer sa phrase car une idée venait de germer dans mon esprit et je la lui exposai aussitôt :

— Vous pourriez dire que vous avez besoin d'un valet pour s'occuper de votre linge, nettoyer et ranger votre cabine et que vous avez choisi un mousse.

— Oui, en effet...

— Et voilà... Ainsi, j'atteindrai le Siam !

— Vous alors, vous avez un sacré caractère ! décréta-t-il.

Ce compliment me remplit d'aise.

Par chance, le voyage se passa fort bien. Aucune tempête ne vint en troubler le calme. C'était heureux, mais je m'ennuyais à mourir, enfermée dans la cabine du chevalier. Une demi-heure de travail journalier suffisait afin de m'acquitter de ma tâche, et je n'avais ni broderie pour m'occuper les doigts, ni livre pour m'occuper l'esprit. Il avait été convenu que je sortirais le moins possible et je m'octroyais une petite promenade sur le gaillard arrière à l'heure des repas lorsque les officiers mangeaient dans le carré et les matelots assis entre les canons. Je ne voyais pratiquement pas le chevalier de la journée. Il jouait aux cartes, buvait et bavardait avec les ambassadeurs, les pères jésuites, les mathématiciens, les missionnaires et les gentilshommes qui s'étaient embarqués pour plaire au Roi. Il me semble aussi qu'il avait peur de se retrouver seul avec moi. La nuit, il me laissait sa couchette et dormait roulé dans une couverture à même le sol, ce qui était tout à fait chevaleresque.

Le passage de la ligne[1] donna lieu à une grande fête. Jamais je n'aurais dû sortir de la cabine, mais la curiosité m'attira sur le pont.

Le plus vieux des matelots avait revêtu un curieux costume : un morceau de voile drapait son corps nu et des coquillages étaient accrochés dans sa tignasse, il tenait une sorte de fourche à la main. Les autres l'entouraient en riant. Les passagers admiraient le spectacle du gaillard arrière un verre à la main. Je croisai un instant le regard du chevalier et je vis de l'inquiétude et de la réprobation dans ses yeux. Je n'en compris pas la raison.

— Je suis Neptune, le dieu de la Mer ! vociféra l'homme déguisé. Vous venez d'entrer dans mon

1. Passage de l'Équateur.

royaume et vous vous en souviendrez longtemps ! À vos postes !

À cet ordre, les matelots se ruèrent sur ceux dont c'était la première traversée. Deux coururent vers moi et avant que j'aie eu le temps d'esquisser un mouvement, ils m'avaient empoignée.

— Tu as déniché une bonne planque... mais tu y passeras comme les autres ! m'annonça l'un des deux.

Mon cœur se mit à battre la chamade. Qu'allait-il advenir de moi ? Je le découvris rapidement. Sous mes yeux horrifiés, on tondit une jeune recrue et on lui badigeonna le torse de goudron sous les vivats et les ricanements de ses camarades. Un peu plus loin, on arrosa un autre entièrement nu à grands seaux d'eau sale.

Si j'avais dû subir pareil outrage, j'en serais morte !

J'espérais que le chevalier viendrait à mon secours mais ce fut Ewen qui m'attrapa par le bras et décréta :

— Celui-là, je m'en charge !

Hélas ! ceux qui me tenaient ne voulaient pas lâcher prise et, tandis que je me débattais avec force, ils plaisantèrent :

— C'est vrai qu'il est plutôt mignon... et tu le voudrais pour toi tout seul ? Pas question. On le partage !

À ce moment-là, le plus grand des deux m'arracha mon bonnet et ma chevelure se répandit sur mes épaules.

— Une fille ! s'exclama-t-il interloqué.

Le mot circula de bouche en bouche. La fête s'arrêta et le cercle se resserra autour de moi. Curieusement, je ne pleurai pas. Au contraire, je levai crânement la tête. Je n'avais plus peur. Ils n'oseraient pas me toucher. Plus personne ne riait.

Aucune phrase moqueuse ne surgit. La stupeur les pétrifiait.

Saisissant cette occasion, Ewen m'entraîna vers la dunette arrière.

CHAPITRE 17

M. de Forbin se détacha du groupe de gentilshommes et de gens d'Église qui me dévisageaient d'un œil réprobateur et me dit assez sèchement :

— Vous n'auriez pas dû...

Il était mal à l'aise. À cause de mon indiscipline, il allait devoir expliquer ma présence à bord. Il craignait sans doute les moqueries et les reproches, car il y avait maintenant plusieurs semaines que nous cohabitions dans sa cabine. Aussi, afin de le dédouaner, je pris la parole :

— Je vous prie d'excuser ma tenue, messieurs. Me vêtir en homme est contraire à la morale et à la religion, j'en ai pleine conscience. Mais j'y ai été contrainte.

Poussé sans doute par la curiosité, l'un des jésuites qui avaient reculé d'un pas comme si j'avais été le diable en personne, m'interrogea :

— Par qui ?

— Par la nécessité. Mon fiancé a été condamné aux galères et j'ai juré de le sauver. Pour cela, il me faut de l'argent, alors je pars en chercher où il y en a.

— Votre fiancé est hérétique ?

Je me troublai. Si j'expliquais à ces représentants de l'Église catholique que François était un protestant voulant rester fidèle à sa religion et que j'étais moi-même une huguenote contrainte au catholicisme, je risquais de terminer le voyage aux arrêts dans la cale.

Le chevalier vint à mon secours.

— Je connais bien Mlle de Lestrange. Elle a été élevée à la Maison Royale de Saint-Cyr et elle en est sortie pour devenir la demoiselle de compagnie de la nièce de Mme de Maintenon.

Le chevalier avait dit ce qu'il fallait pour impressionner les religieux. Un murmure de satisfaction parcourut l'assistance. Profitant de cet avantage, le chevalier poursuivit :

— Son fiancé, un gentilhomme au grand cœur, s'occupait de l'engagement des ouvriers dans le moulinage de soie de son père. Tous étaient en apparence de bons catholiques. Pourtant, des traîtres continuèrent à pratiquer leur religion prétendue réformée. De ce fait, M. de Marquet a été condamné aux galères en même temps que ses employés.

Après le murmure de satisfaction, c'est un murmure de réprobation qui se fit entendre. Je ne pipai mot, jugeant l'explication du chevalier tout à fait à mon goût.

— Vous n'avez pas pu obtenir justice ? s'enquit un gentilhomme.

— Le sujet est délicat et il est préférable d'éviter ce genre de requête auprès de Sa Majesté.

— En effet.

— La seule solution est d'acheter la liberté de M. de Marquet. Hélas ! son père est mort de chagrin et la famille de Mlle de Lestrange a été ruinée par les guerres au service du Roi.

Cette fois, on me plaignit.

— Ma pauvre enfant... Vous êtes bien courageuse de vous sacrifier ainsi. Nous prierons pour la réussite de votre entreprise.

— Et si nous pouvons vous aider...

Je souris avec humilité et je remerciai.

— Vous êtes la bienvenue à bord, me dit le capitaine, je vais vous faire attribuer une cabine.

— Mlle de Lestrange ne peut demeurer ainsi vêtue ! s'offusqua un père jésuite.

— C'est que... nous n'avons pas de vêtements féminins..., commença le capitaine. Notre maître voilier sait manier l'aiguille, mais je ne pense pas qu'il puisse coudre une robe à votre goût.

Ce trait d'esprit fit rire ces messieurs et l'atmosphère devint plus légère.

— Je transporte dans une malle une pièce de brocart bleu et quelques rubans, dit un gentilhomme, ils sont à votre disposition.

— J'ai, quant à moi, une pièce de soie blanche qui ferait un bon jupon.

— Et je vous offre avec plaisir de la dentelle au point de France qui dort dans une de mes malles.

J'étais rouge de confusion devant les assauts de civilité de tous ces gentilshommes prêts à me donner leurs effets pour m'être agréables.

— Je vous remercie, messieurs. La couture apprise à Saint-Cyr me permettra de me confectionner une tenue honorable.

Ainsi fut fait.

Le capitaine Vaudricourt me donna la cabine de M. de Rousselet, qui fut contraint de partager celle de M. de Brisacier. Cela me chagrina un peu, mais ils acceptèrent tous deux de bonne grâce.

Dans la cabine, un nécessaire de toilette, posé sur une minuscule table m'attendait, ce qui était une délicate attention. Il y avait des jours que je n'avais pas pu me coiffer, me laver correctement, me parfumer et me poudrer, et je passai de longues heures à reprendre l'apparence d'une demoiselle bien née.

Cependant, je devais rapidement confectionner une robe afin de me présenter correctement vêtue à ces messieurs. Mais j'avais menti. Je n'avais jamais été une bonne élève en couture. C'était une activité trop calme, trop terre à terre. Je préférais de loin le théâtre.

Je caressais de la main le brocart, la soie, les dentelles que l'on m'avait fait porter, mais je ne me décidais pas à tailler ces précieuses étoffes.

Je soupirai en saisissant le ciseau lorsque des cris m'amenèrent à monter sur le pont.

Le maître de voilerie secouait violemment un jeune mousse en vitupérant :

— Mes aiguilles ne sont pas des jeux ! Tu m'en as cassé deux, tu mérites le fouet !

Je ne pus m'empêcher d'intervenir :

— Le fouet pour deux aiguilles cassées, voyons, monsieur, un peu de clémence.

À ma vue, le maître voilier se troubla :

— C'est que ces aiguilles sont précieuses et il m'en a volé deux pour en faire des fléchettes... En s'enfonçant dans le bois, la pointe s'est brisée.

— Ce mousse est encore un enfant... Il n'a pas plus de neuf ans et n'a sans doute pas mesuré la portée de sa farce... Il va s'excuser et promettre de ne point recommencer.

C'est ainsi que les dames de Saint-Cyr se comportaient avec les plus jeunes des pensionnaires et j'espérais que leurs préceptes satisferaient à la fois le mousse et le maître voilier.

Mousses, matelots, gradés s'étaient approchés pour connaître l'issu de ce conflit. Le maître de voilerie fronça les sourcils. Le petit mousse s'excusa et jura qu'il ne recommencerait pas. Le maître d'équipage envoya tout le monde à son poste et j'en profitai pour m'adresser au maître voilier :

— Si j'osais, je vous demanderais un service que vous êtes le seul à pouvoir me rendre.

— Si je peux vous être utile, mademoiselle.

— Je suis assez ignare en ce qui concerne la couture où vous excellez... et bien que vous occuper de chiffons ne soit pas dans vos attributions, si vous pouviez me conseiller, me guider, m'aider dans la confection de ma tenue, je vous en serais très reconnaissante.

Il éclata de rire.

— Vous voulez que je vous couse une robe ?

— Oui.

— Ne comptez pas sur moi. Cela ne fait pas partie de mes attributions, m'annonça-t-il sèchement.

Mécontente, je regagnai ma cabine. Je n'y étais pas depuis dix minutes que l'on frappa à la porte. C'était le maître voilier, penaud.

— Excusez-moi, bredouilla-t-il, mais je ne pouvais perdre la face devant l'équipage. À terre, c'est moi qui confectionne les vêtements de ma femme et ceux de mes enfants. Alors, si vous voulez bien, je...

Je le remerciai et lui montrai les étoffes dont je disposais.

— Je... je n'ai jamais travaillé de si belles choses, bredouilla-t-il, et je ne voudrais pas les gâcher.

— Oh, si c'est moi qui m'en occupe, je risque de les transformer en charpie, alors...

Il sourit.

— Dans ce cas..., ajouta-t-il.

Il recula d'un pas pour me jauger et, après avoir reporté quelques mesures sur le tissu, il coupa sans hésiter et me proposa d'emporter les morceaux dans sa cabine pour les coudre pendant la nuit.

Deux jours plus tard, il profita du moment où les passagers étaient dans le carré à fumer, boire et jouer aux cartes pour m'apporter son travail.

— Voilà, murmura-t-il intimidé. Je crois que l'ensemble est présentable. Je ne prétends pas rivaliser avec les drapiers[1] qui habillent la noblesse,

1. Ce sont les drapiers qui confectionnaient les vêtements de dessus et les corsets. Les couturières se contentaient de couper et de coudre les robes de chambre et les jupes.

mais au moins, vous aurez une tenue convenable pour une demoiselle.

Je le remerciai.

Quand il eut tourné les talons, j'enfilai le jupon, la jupe, le bustier. L'ensemble n'avait ni l'allure d'une robe de cour, ni la rigueur de l'uniforme de Saint-Cyr, cela ressemblait plutôt à ce que portent les paysannes. La jupe et le jupon étaient uniformément froncés ce qui me faisait une taille de matrone et le bustier était trop ample. Le maître voilier avait su, cependant, agrémenter les manches et le décolleté de dentelles et de rubans. Je n'aurais pu paraître ainsi vêtue à la Cour sans m'attirer des sarcasmes, mais, étant donné les circonstances, j'espérais que sur ce navire ce ne serait pas le cas.

Je décidai de tester immédiatement ma tenue et je me rendis dans le carré enfumé. Dès que je parus à la porte, les conversations s'arrêtèrent.

CHAPITRE 18

De ce jour, ma vie fut transformée. J'étais devenue en quelque sorte la mascotte du vaisseau. Je dînais et je soupais à la table du capitaine.

Dans la journée, les jésuites et les missionnaires cherchaient ma compagnie pour me parler de religion et de charité. Parfois, je jouais aux cartes, aux échecs ou aux dés et lorsque la chaleur était trop intense, je somnolais dans un hamac à l'ombre d'une toile tendue sur le pont.

Pendant quelque temps, nous fûmes escortés par de petites baleines que l'on nomme « souffleux ». Elles produisent par moments des jets d'eau, ce qui nous amusa fort. Je mangeai pour la première fois de la tortue que les matelots avaient éperonnée, mais j'avoue n'avoir pas trop apprécié leur goût.

Durant plusieurs nuits, je pris beaucoup de plaisir à être initiée à l'astronomie grâce aux mathématiciens embarqués avec nous. J'étais au comble de la joie lorsqu'ils me firent voir, grâce à une lunette grossissante, quatre étoiles appelées la Croisade ainsi qu'un curieux nuage blanc qui n'est autre chose qu'une multitude de petites étoiles semées dans le ciel.

Nous ne fûmes confrontés à aucun pirate, à aucune tempête, ce qui fit dire au capitaine que je leur portais chance.

Enfin, après une navigation assez agréable de trois mois, nous aperçûmes une longue chaîne de montagnes se terminant en pointe dans la mer. À côté s'ouvrait une grande et vaste baie. C'était le cap de Bonne-Espérance. Nous mouillâmes à cent cinquante pas du fort que les Hollandais y ont bâti.

J'avais hâte de mettre pied à terre mais il fallut attendre. M. de Forbin ordonna de mettre une chaloupe à la mer et partit complimenter le gouverneur de la place.

Le lendemain, nous accostâmes à notre tour.

Il y avait si longtemps que je n'avais pas marché sur la terre ferme que mes premiers pas furent chancelants et si je n'avais point été soutenue par deux gentilshommes qui avaient insisté pour m'escorter, j'aurais chu. Je fus étonnée par tous les

Noirs qui se promenaient à moitié nus, la taille ceinte d'une peau de mouton, les femmes portant pour ornement des boyaux de mouton autour des bras et des jambes. Cela m'effraya même. Mais la personne chargée de nous accompagner jusque chez le gouverneur nous assura que les gens de ce pays étaient affables et travailleurs.

Nous fûmes logés dans un magnifique pavillon construit dans le jardin de la Compagnie des Indes, où l'on nous servit à profusion une eau limpide et fraîche, quantité d'herbes et de fruits de toutes espèces. Afin de m'être agréable, M. de Forbin fit venir un marchand de tissu et une couturière. Il m'offrit deux belles pièces de soie indienne, y ajoutant dentelles et rubans, et la couturière me confectionna deux robes qui auraient fait pâlir Marguerite d'envie. S'ils me ravissaient, ces cadeaux me gênaient et je me sentais redevable vis-à-vis du chevalier. Comme je lui exposais cela, il me répondit fort galamment :

— J'échange des étoffes contre le bonheur de votre agréable présence pendant ce long voyage. Vous ne me devez donc rien.

De nombreux divertissements furent donnés en l'honneur de M. l'ambassadeur. J'y assistai pour faire bonne figure, mais je n'avais qu'une hâte : reprendre la mer. Je priais chaque jour pour que François ne parte pas aux galères avant mon retour et que ma mère et ma sœur soient toujours en vie quelque part dans un pays ami des huguenots. Je ne pouvais parler à personne de mon tourment, sauf peut-être à M. de Forbin, mais il me semblait que nous avions fait une sorte de pacte. Il avait menti sur les motifs de l'incarcération de François ; en échange, le sujet de la religion ne devait plus être abordé... Je gardais pour moi l'angoisse qui m'étreignait... Parfois, elle menaçait de m'étouffer.

Dès que le navire eut fait le plein de rafraîchissements[1], nous repartîmes en direction du détroit de la Sonde formé par les îles de Java et de Sumatra.

Les vents contraires nous entraînèrent du côté des terres australes, ce qui était assez catastrophique, car, à bord, trois gentilshommes, deux missionnaires et cinq ou six matelots étaient atteints du scorbut, de fièvre ou de flux de ventre. Ils devaient être soignés à terre le plus rapidement possible.

Par chance, après avoir souffert du mal de mer les premières semaines, je me portais assez bien.

Je n'avais presque plus de contact avec Ewen. Les pères jésuites m'avaient fait comprendre que ma place n'était pas avec les matelots, dont les manières n'étaient point du tout convenables. Je lui

1. Tous les produits frais tels que les légumes, les fruits, la viande et l'eau.

adressais donc quelques gestes discrets d'encouragement lorsque je le voyais grimper dans la mâture. Mais je ne l'oubliais pas.

Brusquement, le vent redevint favorable, nous changeâmes de route et l'on me montra bientôt l'île de Java.

Nous avions mis deux mois pour l'atteindre et le commandant décida de faire halte à Batavia, qui est la capitale des Hollandais dans les Indes, pour y débarquer nos malades.

La ville est bâtie de maisons blanches et peuplée de nombreux Français religionnaires[1] et catholiques que le commerce y a attirés. Son Excellence, le général de la Compagnie des Indes qui commandait la place, nous reçut fort cordialement dans son palais richement orné de porcelaine du Japon.

Une semaine plus tard, nos rafraîchissements étaient reconstitués, aussi nous fîmes route pour Siam. Deux matelots manquaient à l'appel : ils avaient succombé. Nous laissâmes un missionnaire à l'hôpital, mais les autres malades purent reprendre la mer avec nous. Nous nous sentions tout près du but et la plus étrange excitation régnait sur le navire. Les matelots se chamaillaient pour

1. On appelait ainsi les protestants membres de la religion réformée.

tout et rien, les parties de cartes et de dés n'amusaient plus personne et je passais du rire aux larmes sans savoir ce qui me faisait rire ou pleurer.

Enfin, nous mouillâmes à la barre de Siam six mois après avoir quitté Brest. L'équipage accueillit notre arrivée par des vivats, quant à moi, incapable de manifester mon émotion, je gardai l'œil rivé sur cette terre de richesses qui allait me permettre de sauver ceux que j'aimais.

CHAPITRE 19

Odia[1], la capitale de ce pays, est située à l'intérieur des terres. La seule voie d'accès étant une rivière impraticable pour notre bâtiment, il fallut attendre quatre jours des bateaux plus petits... et je mourais d'impatience.

— Les gens de Siam sont par trop nonchalants, pesta M. de Forbin.

Enfin, nous partîmes. Nous mîmes quinze jours pour arriver à Odia, dormant la nuit dans des maisons de cannes à sucre que l'on bâtissait pour nous dans la journée, puis que l'on démontait après notre départ. Je n'avais pas assez d'yeux pour tout

1. Odia (ou Joudia) : aujourd'hui Ayuthia, sur les bords du fleuve Menan (en Thaïlande).

voir : les canaux que nous empruntions étaient bordés d'arbres immenses chargés de fruits, de singes et de perroquets. Dans l'air voletaient des oiseaux multicolores et d'étranges poissons tout aussi colorés nageaient dans l'eau. Par contre, j'avais peine à me faire à leur nourriture composée essentiellement de riz et d'un mets étrange que l'on m'affirma être des nids d'oiseaux. Comble de malchance, nous étions dévorés par les cousins[1]. Lorsque nous fûmes en vue de la ville on nous interdit d'aller plus avant et on nous logea dans une grande maison peinte en rouge, ce qui, ici, est une façon d'honorer ses hôtes.

On attendit encore. Je bouillais d'impatience. Il s'agissait de régler le cérémonial de la rencontre de M. Chaumont, notre ambassadeur, avec le roi Somdet Phra Naraï. Et, si j'en jugeais par l'énervement de M. Chaumont, elles devaient être âpres.

Le jour de l'audience arriva enfin.

Des mandarins, vêtus d'une curieuse tunique orange, vinrent nous chercher dans des balons — des embarcations formées dans un seul tronc d'arbre et mues par des rames — magnifiquement décorés de figures de dragons. Je montai dans celui de M. de Forbin, et, au son des trompettes et des

1. Moustiques.

tambours, nous nous dirigeâmes vers le palais. Sur le rivage, le peuple, attiré par le spectacle, se prosternait. J'apercevais au loin de grands clochers dorés qui sont des pagodes et aussi d'immenses plaines vertes qui sont des champs de riz.

Bientôt, nous débarquâmes devant une estrade recouverte de velours cramoisi sur laquelle s'élevait un fauteuil doré. M. l'ambassadeur y prit place. Deux fauteuils plus petits étaient prévus pour M. l'abbé de Choisy et pour M. de Forbin afin qu'on les portât assis jusqu'au palais.

— Comment ! s'indigna-t-il. Mlle de Marquet irait donc à pied, c'est impensable !

Il me céda sa place. Les mandarins se mirent à piailler comme des oiseaux.

— C'est qu'ils seront punis, s'inquiéta notre interprète. La place d'une femme est toujours derrière l'homme, jamais assise, et elle doit demeurer cachée aux yeux de tous.

— Au royaume de France, la place d'un homme galant et cultivé est derrière une demoiselle bien née, répliqua M. de Forbin.

Il marcha donc à côté de mes porteurs.

Nous entrâmes d'abord dans une cour spacieuse dans laquelle paradaient trois cents chevaux dont les harnais d'or étaient chargés de perles, d'émeraudes et de rubis. Dans la seconde cour, un grand nombre d'éléphants étaient rangés sur deux lignes.

Ces énormes bêtes m'impressionnèrent. Le dernier était blanc et plus richement paré que les autres et quatre mandarins agitaient des éventails pour le rafraîchir.

— L'éléphant blanc est comme un dieu dans ce pays-ci. Il mange et il boit dans des vases d'or et, lorsqu'il sort, il est protégé du soleil par un énorme parasol, m'expliqua M. de Forbin.

Nous pénétrâmes dans une troisième cour où cinq à six cents hommes étaient assis à terre, les bras peints de bandes bleues.

— Des bourreaux, me souffla le chevalier.

Je poussai un cri en portant une main à ma gorge. Mon cri fut si incongru que la marche de nos sièges s'arrêta une fraction de seconde. M. de Chaumont me lança un coup d'œil courroucé et j'eus peur d'avoir créé un incident diplomatique.

Nous arrivâmes enfin à la salle de l'audience. On nous ordonna de nous asseoir à terre, jambes croisées, en prenant bien garde que nos pieds ne parussent pas, car les montrer est un manque de respect digne de la peine de mort.

Monsieur l'ambassadeur fut placé sur un fauteuil. Il tenait en main un long manche d'or au bout duquel était fixée une coupe contenant la lettre du Roi de France. Sur la gauche, les grands mandarins formaient une ligne parfaite.

Lorsque tout fut prêt, un gros tambour battit un coup. À ce signal, les mandarins se couchèrent tous. Je ne pus m'empêcher de sourire, imaginant les gens de chez nous avec leur habit doré, leurs bas de soie et leur perruque à plat ventre en attendant le Roi.

Au sixième coup de tambour, une fenêtre s'ouvrit dans la salle et le roi parut. Il portait sur la tête un chapeau pointu attaché sous le menton avec un cordon de soie. Son habit était de couleur feu et or et il était ceint d'une écharpe dans laquelle était passé un poignard. De nombreuses bagues ornaient ses doigts. Il était petit, maigre, et n'avait rien de la majesté de Louis le Grand.

M. de Chaumont le salua tout en demeurant assis le chapeau sur la tête, ce qui aurait beaucoup choqué à la Cour de Versailles, puis il tendit la lettre au bout de sa pique au roi de Siam toujours à sa fenêtre. Ce dernier interrogea notre ambassadeur sur la santé du roi. Il parlait un français tout à fait correct, ce qui ne m'étonna qu'à moitié car je savais que notre langue était appréciée du monde entier. Le gros tambour battit, la fenêtre se referma et les mandarins se redressèrent. C'était tout.

Je fus effroyablement déçue.

Je m'étais attendue à une réception comme celles qui ont lieu à Versailles, où le Roi s'arrête devant les dames, leur adresse une parole et leur fait plus tard l'honneur de les convier à visiter les jardins. Je venais de si loin, le voyage avait été si long, si éprouvant, que j'avais espéré qu'il me manifesterait un peu d'attention.

Il ne m'avait même pas vue.

M. de Forbin, qui s'aperçut de ma tristesse et à qui j'en expliquai la raison, éclata de rire et me dit :

— Ma chère amie, heureusement que Phra Naraï ne vous a point remarquée, il aurait pu exiger que vous entriez dans son harem et que vous deveniez sa trentième concubine.

— Quelle horreur ! m'exclamai-je, scandalisée.

— Dans ce pays, on mesure la puissance d'un monarque au nombre de ses éléphants et de ses épouses.

— M. de Choisy et messieurs les jésuites ne sont-ils pas venus pour convertir ce roi au catholicisme ?

— C'est ce qu'ils s'imaginent. Mais je sais bien, moi, que ce Phra Naraï n'a point du tout l'intention de se faire catholique. Il souhaite s'allier à la France pour pouvoir lutter contre les Hollandais et les Anglais qui envahissent son territoire, c'est tout. Aussi, je vous conseille de ne jamais quitter la maison de monsieur l'ambassadeur.

— Mais je vais m'ennuyer à mourir ! J'ai déjà vécu six mois sur un bateau, et j'ai bien l'intention de visiter le pays et d'admirer les richesses de ses pagodes. On m'a dit qu'elles renfermaient des statues en or massif constellées de diamants dont la lumière vous éblouissait.

— Nous en visiterons quelques-unes ensemble. Seule, vous ne le pourrez pas. L'entrée est interdite aux femmes. D'ailleurs, dans ce pays, les femmes ne se montrent pas, et il est préférable de respecter leurs coutumes si nous ne voulons pas avoir d'ennuis.

M. de Forbin m'agaçait avec ses recommandations et ses craintes. Je n'avais pas l'intention de vivre cloîtrée alors que toutes les richesses de ce pays m'attendaient dehors.

CHAPITRE

20

Le lendemain, quatre mandarins se présentèrent à notre demeure. L'un d'entre eux déroula un parchemin qu'il lut d'une voix nasillarde. L'interprète traduisit :

— Sa Majesté, le roi Somdet Phra Naraï, invite dans son palais la jeune personne dont le doux visage est gravé dans la pierre.

Tous les regards se tournèrent vers moi.

— Mais comment a-t-il su ? s'étonna M. de Forbin.

— Heu... c'est moi qui le lui ai dit, répondit l'ambassadeur embarrassé. J'ai voulu lui montrer combien le Roi de France l'honorait en lui envoyant la jeune femme représentant la beauté française.

— Grave erreur ! s'emporta Forbin. Cette invitation pourrait bien être une ruse pour enlever Mlle de Lestrange et l'enfermer entre les murs du harem !

— Aller contre le souhait du roi, c'est compromettre nos chances de le convertir à notre religion, dit un père jésuite.

— Parce que vous envisagez de convertir un homme polygame dont l'une des distractions favorites est de faire coudre la bouche de ceux qui ont parlé sans son ordre ou de la leur ouvrir jusqu'aux oreilles d'un coup de sabre s'ils ne parlent pas assez ! s'indigna M. de Forbin.

— Chaque pays a ses coutumes, plaida le jésuite.

— Eh bien, celles de ce pays sont par trop barbares et je soutiens qu'il est insensé de laisser partir Charlotte !

— Vous exagérez toujours, monsieur de Forbin. Je gage que Phra Naraï sera bientôt baigné par l'Esprit saint et qu'il changera d'attitude. L'intérêt qu'il porte à Mlle de Lestrange est le premier signe de ce changement.

— Votre désir de le convertir vous aveugle ! s'emporta Forbin.

Cette discussion était pénible. Et j'étais chagrine d'en être la cause.

— Si quelqu'un m'accompagnait, est-ce que cela vous rassurerait ? demandai-je.

— Certes. Mais les gardes ont dû recevoir l'ordre de vous faire entrer seule sans qu'aucun gentilhomme ne vous escorte.

— Et si un simple valet, chargé par exemple de porter mon ombrelle et mon éventail, venait avec moi ? Quelqu'un de courageux prêt à me défendre ou tout au moins à vous alerter en cas de problème.

— Vous avez un nom à nous proposer ?

— Ewen. Le gabier. C'est un ami sûr.

— Faites-le chercher ! ordonna M. de Forbin.

Notre conversation n'avait bien entendu pas été traduite aux deux mandarins qui, tête basse, attendaient.

Ewen se présenta bientôt. Contrairement aux autres marins qui dépensaient leur solde dans les tripots à boire, à manger et à s'amuser avec des filles de mauvaise vie, il m'avait raconté qu'il gardait son argent pour, d'ici quelques années, vivre honnêtement sur une terre de louage dans son pays du Léon. Marin n'était pas sa vocation mais un moyen de s'établir. Je lus de l'étonnement dans son regard et une vague crainte.

— Nous avons besoin que vous nous rendiez un service, monsieur, attaqua M. de Forbin.

Peu habitué à être appelé « monsieur », Ewen répondit, le sourire aux lèvres :

— Si je peux vous aider.

— En fait, c'est Mlle de Lestrange qui a besoin de vous.

— Dans ce cas, dit-il en s'inclinant légèrement devant moi.

M. de Forbin lui expliqua ce que nous attendions de lui. Il devait être mon garde du corps discret mais efficace, tout en laissant croire qu'il n'était qu'un valet.

— Vous toucherez une récompense pour cette mission, termina M. de Forbin.

— Point besoin de récompense. Je suis prêt à mourir pour Mlle de Lestrange, s'enflamma-t-il.

Je rougis.

Monsieur l'ambassadeur enchaîna :

— Parfait. Dans ce cas, nous pouvons aller rejoindre les mandarins qui nous attendent dans la pièce à côté.

M. de Forbin me retint un instant et me dit avec émotion :

— Soyez prudente, Charlotte. Refusez de vous séparer d'Ewen, ne mangez rien, ne buvez rien... On risquerait de vous endormir à votre insu et... Si cela n'avait tenu qu'à moi, jamais je ne vous aurais laissée partir.

— Ne vous inquiétez pas, monsieur le chevalier, tout se passera au mieux.

— Dieu vous entende.

Je montai dans une chaise à porteurs aux rideaux hermétiquement clos et je fus ainsi transportée jusqu'au palais, pestant d'apercevoir mal le paysage à travers le tissu. Ewen marchait à côté de moi et sa présence me rassurait.

Comme la première fois, je traversai une cour, puis une seconde, plantée d'arbres et de fleurs odorantes. Arrivés à la troisième cour, une dizaine d'hommes nous entourèrent. En descendant de la chaise, je reconnus les bourreaux à leurs bras peints de bandes bleues. Malgré la chaleur suffocante et la sueur qui perlait à mon front, je frissonnai. Ewen me souffla à l'oreille :

— N'ayez pas peur, je suis là.

Ainsi escortés, nous traversâmes une dernière cour. Une énorme porte s'ouvrit devant nous. Nous nous engageâmes dans un corridor sombre et frais. Une nouvelle porte s'ouvrit et nous entrâmes enfin dans une salle carrée au sol recouvert de tapis. Les murs étaient creusés de niches dans lesquelles étaient exposées des porcelaines bleu et blanc du plus bel effet. Dans le fond de la salle se dressait, sur une estrade, une sorte de lit recouvert de coussins soyeux. Le plafond était une mosaïque d'or incrustée de pierres précieuses.

Les gardes disparurent, des mandarins habillés de jaune entrèrent. Le tambour roula, les mandarins se mirent à plat ventre comme quelques jours plus tôt. Ewen pouffa de rire.

J'hésitai quelques secondes pour savoir quel parti prendre, puis je décidai de saluer le roi à la française. Le tambour frappa six coups. Au sixième, une porte s'ouvrit à côté du lit. Le roi parut et s'assit parmi les cousins. Je m'attendais à voir surgir avec lui toute une cour. Il n'en fut rien. Il était seul. Je plongeai aussitôt dans une impeccable révérence. Ewen inclina le buste. Il y eut soudain un étrange remue-ménage venant du mandarin aplati non loin de nous. Il devait nous ordonner de l'imiter. M. de Forbin m'avait appris que, dans ce pays-ci, il était interdit de regarder le roi et qu'on ne devait jamais être debout devant lui, mais à plat ventre. Le souverain leva le bras. Le silence se fit.

— Venez jusqu'à moi, mademoiselle, me dit le roi.

J'avançai, gardant la tête baissée pour ne pas risquer d'importuner le roi et les mandarins. Glissant un regard à travers mes cils, je vis le roi froncer les sourcils lorsque Ewen avança avec moi. Afin de laisser croire qu'il était mon valet, il tenait dans une main mon ombrelle et mon éventail.

— Se pourrait-il que monsieur l'ambassadeur n'ait point suffisamment confiance en moi pour qu'un valet vous accompagne ? grogna Phra Naraï.

M. de Forbin m'avait appris que le roi de Siam avait une grande admiration pour le Roi Louis. M'en souvenant, je m'exclamai :

— Oh non, Votre Majesté ! Mais en France, l'étiquette veut qu'une demoiselle ne sorte jamais seule.

— Il est vrai, se radoucit-il.

Puis, voulant sans doute faire oublier son mouvement d'humeur, il s'approcha, prit mon menton entre le pouce et l'index et m'examina. J'étais abominablement mal à l'aise. J'avais l'impression d'être un animal observé par le maquignon avant qu'il ne se décide à l'acheter.

— Admirable. Parfaitement admirable. L'artiste qui a sculpté votre visage n'a pas menti.

— Il s'agit de M. Coustou. Il a en effet beaucoup de talent.

— Mais je suis encore plus heureux de pouvoir contempler l'original. Votre peau est aussi blanche que la porcelaine. Je n'avais jamais vu cela... La blancheur de vos dents m'étonne, mais je les trouve fort belles.

Je fermai aussitôt la bouche. J'appris plus tard qu'au Siam les dents blanches étaient le signe du diable. Les gens se faisaient donc noircir les dents avec une laque qui mettait trois jours à sécher, les empêchant de manger pendant ce temps.

Cette inspection me mettait au supplice et le rouge me monta aux joues. Pour justifier son rôle,

Ewen m'éventa. Mais le roi fit un signe et aussitôt deux esclaves entrèrent et agitèrent de grandes palmes, tandis que deux autres se présentèrent en portant des plateaux contenant des rafraîchissements. Je fis celle qui n'avait rien vu lorsqu'un gamin vêtu d'une jupette et d'une chemisette me mit le plateau de fruits et de boisson sous le nez alors que j'avais si soif que j'aurais bu la mer et les poissons avec. Le roi s'offusqua :

— Refuseriez-vous l'hospitalité que je vous propose ?

Je jetai un œil éperdu à Ewen.

Il sourit, s'empara de la coupe d'argent dans laquelle le gamin fit couler d'une aiguière un liquide jaune et en but une gorgée. J'essayai de gagner du temps.

— Non point, Votre Majesté... mais la longue traversée en bateau m'a rendue fragile et je ne peux absorber aucun fruit sans être malade.

— Il s'agit d'une eau parfumée aux fleurs et aux plantes, m'expliqua le roi.

Ewen ne s'endormait pas. Je me risquai à porter à mes lèvres la coupe que l'on me présenta. Le breuvage était agréablement frais et j'avais si soif que je le bus tout entier.

Curieusement, le roi se mit ensuite à réciter des vers. Comme je lui assurais qu'ils étaient fort beaux, il m'annonça qu'ils étaient de lui. Je le félicitai. Mon enthousiasme, qui n'était pas feint, lui plut.

— Les prochains, c'est vous qui me les inspirerez, me dit-il.

— J'en suis flattée, Majesté.

Je craignais pourtant que notre conversation ne prit le ton du badinage et cela m'inquiéta. Si le roi s'était épris de moi, ç'aurait été la catastrophe. Mon refus aurait provoqué un incident diplomatique mais il était hors de propos que j'accepte de céder aux avances royales.

Soudain le roi se leva et me dit :

— Alors, à bientôt, Mlle de Lestrange.

Je lui fis ma révérence, Ewen s'inclina et Phra Naraï se retira.

Je soupirai de soulagement.

CHAPITRE 21

Le roi ordonna de nombreux divertissements en l'honneur de la délégation française.

Nous assistâmes à une comédie à la chinoise où je m'ennuyai à mourir. Les habits étaient beaux, les postures aussi, les comédiens étaient alertes, et les comédiennes ridicules avec leurs ongles d'un demi-pied de long. Quant à la musique, elle était tout à fait détestable. Je regrettai fort celle de MM. Lully et Charpentier.

Une autre fois, nous vîmes des danseurs de corde qui sautillaient sans contrepoids sur un fil perché à une hauteur de trois maisons tandis que d'autres se couchaient sur des pointes d'épées acérées et qu'un gros homme leur marchait sur le ventre nu.

Puis il y eut une course de plus de deux cents balons. Le balon du roi était magnifiquement sculpté et tout entier recouvert d'or. Cent cinquante rameurs portant corselet, brassards et bonnet d'or le faisaient avancer en plongeant en cadence des rames dorées dans l'eau. C'est le balon du roi qui gagna et nous applaudîmes fort cet exploit.

Un autre jour, ce fut la chasse au tigre, puis une promenade à dos d'éléphant, une descente de la rivière en balon, et toujours de magnifiques buffets où des ragoûts à la japonaise et à la siamoise étaient servis dans des vases d'or et d'argent avec profusion de fruits étranges : ananas, mangues, mangoustans, durians et des oranges vertes à chair rouge délicieuses. Dans toutes ces manifestations, le roi paraissait peu ou alors se montrait toujours distant, de telle façon que M. l'ambassadeur ou M. l'abbé de Choisy ne pouvaient guère l'entretenir en particulier de l'objet de leur mission.

Les jours se succédaient avec leur lot de divertissements et le temps passait.

Le roi semblait m'avoir oubliée et j'en étais fort aise.

Ce qui me chagrinait par-dessus tout c'est qu'une semaine après notre arrivée, je n'avais toujours pas trouvé le moyen de devenir riche. Contrairement à ce que j'avais imaginé, il ne suffisait pas de se baisser pour ramasser de l'or dans les rivières et les pierres précieuses ne bordaient pas les chemins. Les nombreuses statues ornant les pagodes étaient bien en or, elles portaient bien de gros diamants au front, aux doigts et au nombril, mais il ne me serait pas venu à l'idée de les voler. Les marchands de pierreries vendaient tout aux farangs[1] à des prix exorbitants : en effet, les Anglais, les Hollandais et les Français s'arrachaient les marchandises et en faisaient ainsi monter les prix... or comme je n'avais pas un sou...

J'étais découragée. À quoi bon ce voyage lointain et dangereux si je ne parvenais pas à sauver François ?

Je n'étais pas la seule à me désespérer.

Monsieur l'ambassadeur ne réussissait pas à obtenir une audience avec le roi pour lui faire signer le traité accordant des privilèges aux missionnaires venus s'installer dans son royaume.

— Il cherche à nous étourdir pour que, pressés par le temps, nous cédions sur les points les plus importants, expliqua M. de Forbin.

— Non point. Il veut nous montrer l'étendue de ses richesses pour nous prouver que la France ne s'allie pas avec une nation miséreuse, répondit monsieur l'ambassadeur.

— Il ne s'est toujours pas fait catholique, s'inquiéta M. l'abbé de Choisy.

1. Européens.

— Nous avons déjà embarqué cent cinquante ballots de cadeaux que Phra Naraï destine à notre roi, fit remarquer l'ambassadeur, cela ne peut être que de bon présage.

— C'est son but ! Nous impressionner ! Nous endormir... et pendant ce temps, il ne signe pas !

J'étais lasse de leur querelle. Je ne me sentais pas concernée par ce traité et je ne voyais pas pourquoi il était si important que ce peuple qui avait des coutumes si éloignées des nôtres devienne catholique. Je me demandais bien comment nous aurions accueilli à la Cour de France des mandarins venus nous proposer de devenir bouddhistes !

J'étais allée respirer un peu d'air frais sur la galerie entourant la maison lorsque je vis arriver quatre mandarins. Étonnés de me voir seule, ils baissèrent aussitôt le visage pour éviter de me regarder et me tendirent un parchemin fermé par un ruban, puis ils se retournèrent rapidement et partirent sans bruit, comme ils étaient venus.

Je déroulai le papier et je lus :

Mademoiselle,

Je souhaiterais que vous m'accompagniez demain soir aux heures fraîches dans la visite de mes jardins. Une escorte viendra vous prendre à cinq heures.

Somdet Phra Naraï

J'étais stupéfaite. Le roi ne m'avait pas oubliée. Je relus le message puis j'entrai dans le salon où les trois hommes discutaient encore et je leur dis :

— Le roi souhaite que je l'accompagne demain pour visiter les jardins.

Cette invitation réactiva la querelle entre M. de Forbin, l'ambassadeur et l'abbé de Choisy.

M. de Forbin assurait qu'il fallait la refuser parce que c'était dangereux. M. de Chaumont prétendait que le roi n'oserait pas m'enlever à la barbe de toute la délégation française et M. l'abbé qu'il fallait faire entièrement confiance à un homme prêt à se convertir.

M. de Forbin raconta alors des histoires d'enlèvement et de séquestration qui me firent mourir de peur.

— Ce pays a des mœurs fort éloignées des nôtres. Somdet Phra Naraï a épousé sa propre sœur, ce qui est impensable chez nous ! Et il aurait sans doute l'impression que prendre une Française pour concubine le mettrait à l'égal du Roi de France !

— Mais qui parle d'enlèvement ? s'indigna M. de Chaumont. Le roi veut honorer Mlle de Lestrange. Et j'ai ouï-dire qu'il était très généreux, couvrant de présents les personnes qui ont le privilège de lui plaire... Or, ne m'avez-vous pas dit que cette demoiselle avait fait le voyage parce qu'elle avait besoin d'argent ?

— Et puis vous pourriez lui toucher deux mots de religion..., ajouta le père jésuite.

Le chevalier haussa les épaules, mais ne pipa mot, sans doute de peur de se fâcher avec ces deux importants personnages.

Quant à moi, j'écoutais le chevalier, j'écoutais l'ambassadeur, j'écoutais le père jésuite, mais leurs opinions étaient si divergentes qu'elles ne m'étaient d'aucun secours.

La perspective d'être enlevée par le roi et enfermée dans son harem m'épouvantait... mais celle de recevoir un présent de valeur qui me permettrait, de retour en France, d'acheter la liberté de François me poussait à accepter.

J'en étais là de mes tergiversations lorsque douze mandarins pénétrèrent dans la pièce. Deux portaient une volumineuse malle, deux autres une plus petite. Après force salutations et courbettes, l'un d'entre eux expliqua dans un mauvais jargon que la petite malle était destinée à la demoiselle française, l'autre était pour M. l'ambassadeur et ses amis. Ils abandonnèrent leurs colis et s'en retournèrent.

Je regardai la malle sans bouger, mais, la curiosité l'emportant, je soulevai le couvercle et je sortis un long paquet enveloppé d'une pièce de soie blanche. Je l'ouvris sur une robe de soie bleue tissée de fils d'or et d'argent et ornée d'une dizaine de boutons de diamant. Cette merveille me laissa sans voix.

— Eh bien, le roi ne se moque pas de vous ! s'exclama l'abbé de Choisy.

Ma malle contenait encore quatre pièces de satin, deux d'or et deux de soie. Mais ce qui m'intrigua le plus fut un écrin de bois précieux incrusté d'ivoire. Je l'ouvris. Un carreau[1] de soie pourpre portait l'empreinte d'un bijou, collier ou bracelet, mais il était vide.

Je levai un regard interrogateur vers les trois hommes qui m'entouraient :

— Un valet aura volé le bijou ! proposa l'ambassadeur. Si on le retrouve, il aura la tête tranchée.

— Je ne partage pas votre avis, intervint le chevalier. Je pense moi que ce coffret vide est un message du roi que l'on pourrait traduire par : « Si vous assistez à ce divertissement, je vous offrirai un collier. Si vous ne venez pas, vous n'aurez rien. »

Je m'offusquai :

— Espère-t-il m'acheter avec un bijou ?

— Non point, intervint l'abbé de Choisy. Phra Naraï est un bien trop grand roi pour user de ce stratagème... Peut-être est-ce la coutume dans ce pays-ci ?

1. Coussin.

— Je ne le crois pas et je partage les craintes de Mlle de Lestrange, dit le chevalier, ce Phra Naraï est un goujat.

Agacé, l'ambassadeur soupira et, refusant une nouvelle discussion, il choisit d'ouvrir la seconde malle. Elle contenait des robes de chambre en soie du Japon et quelques pièces d'étoffe de satin noir et or.

— Qu'est-ce que je disais ! s'enthousiasma l'ambassadeur. Ce roi est la générosité même.

— Si Phra Naraï voulait acheter notre silence, il ne s'y prendrait pas autrement ! grogna le chevalier.

— Votre méfiance est une insulte à l'hospitalité et à la générosité dont nous bénéficions, s'indigna l'ambassadeur, et je vous saurais gré de ne point gâcher notre plaisir par vos mesquineries.

J'étais fâchée d'être une source de conflit entre ces hommes de qualité. Je me retirai donc dans ma chambre, espérant que le calme et la solitude m'éclaireraient mieux que leurs disputes.

En quittant la pièce, je me heurtai à Ewen.

— Eh bien, me questionna-t-il, que se passe-t-il ? J'ai vu entrer les mandarins et leurs coffres et j'ai entendu des éclats de voix. J'espère qu'il n'y a rien de fâcheux.

Depuis notre première visite au roi, Ewen était, en quelque sorte, entré à mon service. Nous avions bien des esclaves, offerts par le roi, mais ils ne comprenaient jamais ce qu'on leur demandait... et puis Ewen était plus un ami qu'un domestique et sa présence m'était indispensable. Il me suivit dans ma chambre où je sollicitai son avis.

— Vous avez besoin que je vous conseille, moi ? s'étonna-t-il.

— Oui. Les largesses du roi de Siam font perdre la tête à l'un quand l'autre m'affirme que je dois me méfier de tout... je ne sais plus quel parti prendre.

Je lui exposai ma situation. Pour la première fois, je lui parlai de François condamné aux galères, mais, par une étrange pudeur, je le lui décrivis comme s'il était simplement mon cousin sans lui avouer que nous étions fiancés. Il m'écouta sans m'interrompre, prit un temps pour la réflexion et me dit :

— En fait, vous avez le choix entre refuser l'invitation du roi par crainte qu'il ne vous séquestre, et ne pas recevoir le bijou qui vous permettrait de sauver votre cousin, ou accepter, recevoir le bijou et sauver François, ou encore accepter et finir vos jours entre les grilles du harem.

— C'est exactement cela.

— Vous avez jusqu'à maintenant fait preuve de courage et de détermination. Je ne connais pas beaucoup de demoiselles qui se seraient embarquées comme mousse sur un bateau... et si près du but, vous renonceriez ? Cela ne vous ressemble pas.

Fière de son jugement sur moi, je relevai la tête. Il poursuivit :

— Dans la vie, il faut savoir ce que l'on veut et aller jusqu'au bout, bousculer les obstacles afin de se dire que l'on a tout tenté et ne pas avoir de regrets. Croyez-vous que je sois enthousiasmé à l'idée de parcourir les mers du monde, de risquer de mourir du scorbut ou de fièvre, de passer par-dessus bord lors des tempêtes ou d'être embroché par des pirates ? Sûrement pas ! Mais si je survis à ces grandes traversées, la prime sera belle et me permettra de finir mes jours calmement en cultivant ma terre.

— Vous me conseilleriez d'y aller ?

— Je ne peux rien vous conseiller. Réfléchissez, pesez le pour et le contre. Vous êtes seule maîtresse de votre destin.

J'étais profondément troublée. Personne ne m'avait jamais parlé avec tant de sagesse. Je le remerciai. Avant de franchir le seuil de la pièce, il se retourna vers moi et ajouta :

— Et si je peux vous aider dans votre entreprise, n'hésitez pas... Je serai toujours là pour vous.

Je le remerciai encore. Je me sentais apaisée comme si rien de fâcheux ne pouvait m'arriver tant qu'Ewen était près de moi.

Dans la nuit, je pris ma décision. Il m'apparut clairement que c'était la bonne.

CHAPITRE 22

Curieusement, le lendemain, personne ne me demanda quelle était ma décision, comme si, en refusant d'aborder un sujet qui les fâchait, ces messieurs cherchaient à éloigner le problème.

Après-dînée, alors que la chaleur moite engourdissait les esprits et conduisait chacun à somnoler, je regagnai ma chambre pour m'apprêter.

Une jeune esclave me prépara un bain aux essences de fleurs puis elle me massa le corps de la nuque à la pointe des pieds avec une huile parfumée, ce qui eut pour effet de m'ôter toute tension nerveuse.

Elle coiffa longuement mes cheveux, et je lui indiquai la façon de les arranger à la française, en nouant des rubans pour retenir la cascade de boucles brunes qui m'encadraient le visage. Je me fardai, colorai mes joues et mes lèvres en rouge, collai une mouche « à la coquette » au-dessus de ma bouche et une autre sous l'œil droit — « à l'enjouée » — pour accentuer la blancheur de mon teint. Mais je doutais que le roi de Siam connût les significations des mouches. Le miroir me renvoya un reflet que je n'avais point revu depuis mon départ de Versailles et je m'accordai un sourire satisfait.

Mon but n'était pas que le roi s'éprît de moi, mais je ne voulais pas paraître devant lui comme une souillon. Je me devais de représenter la France et de faire bonne impression.

Ewen vint me prévenir que les mandarins étaient là. Je sortis de ma chambre et tombai sur M. de Forbin, M. de Chaumont et l'abbé de Choisy, qui, à mon avis, me surveillaient.

— Ainsi, vous y allez, lâcha le chevalier.

— Vous... vous êtes ravissante, souffla l'ambassadeur.

— Un peu trop, grogna l'abbé, n'oubliez pas la religion.

Afin d'éviter une nouvelle discussion, je me contentai de sourire et d'ajouter :

— Excusez-moi, on m'attend et je ne veux pas être en retard.

Ils s'écartèrent et me regardèrent quitter la maison, escortée par les six mandarins et Ewen qui me suivait. Dès que nous fûmes dehors, le jeune mousse ouvrit une ombrelle pour éviter que le soleil ne me gâte le teint. Nous embarquâmes dans un balon doré amarré le long de la rivière puis nous naviguâmes sur les nombreux canaux bordés d'arbres pleins d'oiseaux et de singes jusqu'au palais.

Dans la première cour, une cinquantaine d'éléphants aussi sages que les enfants d'un pensionnat attendaient.

Un roulement de tambour. Les mandarins et les cornacs se prosternèrent et le roi parut. Je plongeai dans une gracieuse révérence. Il me détailla avec insistance et me dit :

— La tenue que je vous ai offerte vous sied à merveille.

— Je remercie Votre Majesté pour ce présent digne d'une reine, lui répondis-je.

— Vous êtes la parfaite ambassadrice de la beauté française et vous avez su me toucher.

Il me désigna un éléphant richement paré. Sur son dos était fixée une chaise à bras peinte en rouge et or et garnie de carreaux de soie.

Sur un ordre de son cornac, l'éléphant s'accroupit. Le roi en personne me tendit la main pour m'aider à escalader le mastodonte. Je n'étais pas rassurée. La bête m'effrayait et je craignais de chuter avant de parvenir à mon siège. Par chance pour ma dignité, je m'assis sans encombre. Le cornac prit place sur le cou de la bête, qui se releva, me faisant dangereusement tanguer. Ewen grimpa sur une autre bête et le roi s'installa avec aisance et majesté sur le plus gros et le plus richement orné des éléphants. Des mandarins montèrent d'autres éléphants plus petits que celui du roi, puis se couchèrent sur le dos de l'animal en signe de respect pour leur souverain. Je tâchai, quant à moi, de garder une allure digne malgré le balancement du siège.

Notre colonne était précédée par des musiciens qui jouaient fort du tambour afin que tout le monde fuie, se cache ou se prosterne avant le passage du roi.

J'étais parfaitement consciente de bénéficier d'un incommensurable privilège : celui de vivre un instant en sa présence.

Nous parcourûmes une grande plaine défrichée pour la plantation du riz. La vue en était fort agréable. Il y avait au loin de beaux arbres verts et plus loin encore une montagne. Mais j'étais chagrine de n'y entendre aucune vie humaine, seulement le chant des oiseaux et le cri des singes. Nous arrivâmes ensuite dans le jardin du roi. Il ressemble, ma foi, un peu à celui de Versailles. Il y a des allées qui se coupent à angle droit, des canaux, et des arbres étranges dont je ne connaissais pas les noms. Le roi, dont l'éléphant marchait à côté du mien, se tourna vers moi et me dit avec fierté :

— Notre jardinier est un français. Il a travaillé à Versailles avec M. Le Nôtre.

— En effet, ce jardin n'a rien à envier à celui de Versailles, assurai-je pour plaire à Phra Naraï.

De retour dans une cour du palais, mon éléphant s'agenouilla et j'en descendis sans regret.

— Un rafraîchissement va nous être servi dans le salon, m'annonça le roi.

Galamment, il me proposa son poing. J'y posai ma main et nous traversâmes les cours, précédés d'un tambour qui faisait disparaître tout être vivant. Je me retournai : Ewen n'était plus là. On avait dû l'empêcher de me suivre. Une sourde angoisse me crispa le ventre.

N'entrais-je pas dans ce palais pour n'en jamais ressortir ?

Le Roi me conduisit de pièce en pièce dans ce qu'il me sembla être ses appartements privés car les tambours nous avaient abandonnés à la sortie d'une dernière cour, dallée de marbre blanc, plus petite que les autres. Le silence qui s'ensuivit me fit frémir. J'étais maintenant seule avec le roi. Nous pénétrâmes dans une pièce ouverte sur un luxuriant jardin où une fontaine murmurait. Il y faisait frais mais j'étais trop nerveuse pour en ressentir du bien-être. Mon angoisse augmenta lorsque le roi me fit asseoir sur un sofa et prit place à mon côté.

— Parlez-moi de la France, me demanda-t-il.

Étonnée par sa proposition, je l'interrogeai d'une voix hésitante :

— Que voulez-vous que je vous conte, Majesté ?

— Tout ce que M. l'ambassadeur et M. de Choisy ne me disent pas : quelle musique se joue à la Cour, quelle danse se pratique, quelle comédie donne-t-on, quels aménagements le Roi fait-il dans son château, dans ses jardins, quels sont les peintres, les sculpteurs, les poètes qu'il affectionne.

Comme je restais bouche bée, Phra Naraï poursuivit :

— M. l'ambassadeur ne me parle que des victoires de la France et de ses alliances avec des puissances étrangères et M. de Choisy de religion... Ce que j'aime, moi, c'est l'art sous toutes ses formes et cela personne ne m'en touche un mot !

Je lui fis un récit aussi précis que possible de ce que je savais de la Cour. Je lui vantai les musiques de MM. Lully et Charpentier, les pièces de MM. Molière et Racine, les sculptures de MM. Coysevox et Coustou, les peintures de MM. Lebrun et Nattier. Je lui décrivis le Grand

Canal, les jardins de M. Le Nôtre, les fontaines, les bosquets, les féeries des fêtes à Versailles, la douceur de Marly. Il m'écoutait avec attention, m'interrompant parfois pour obtenir un détail supplémentaire ou me dire son admiration et son regret de ne pouvoir admirer toutes ces merveilles. De temps à autre, il portait à ses lèvres un verre de thé et m'invitait à faire de même. Je n'affectionnais pas spécialement cette boisson, que j'avais découverte à bord de *L'Oiseau.* Mais le thé servi au roi n'était pas amer comme celui que je connaissais, il était doux et parfumé et je me laissai aller à le boire avec plaisir.

Au moment où je m'arrêtais pour reprendre mon souffle, je m'aperçus que la nuit était tombée. Quelqu'un avait discrètement apporté des flambeaux qui éclairaient faiblement la pièce. Je ne l'avais point entendu.

L'angoisse qui m'avait quittée tandis que j'évoquais la vie à Versailles reparut dans l'ombre qui nous environnait. Combien d'heures s'étaient écoulées tandis que je parlais ? Le piège n'était-il pas en train de se refermer sur moi sans violence ? La nuit venant, le roi pourrait sans doute disposer de moi plus facilement.

Pourtant, il n'avait tenté aucun geste équivoque, il ne m'avait pas touchée et était resté fort poliment assis à une extrémité du sofa.

Je ne savais plus que penser.

Sans un mot, il se leva et se plaça derrière le siège. Je n'osais le suivre du regard et mon esprit en déroute me soufflait : « Que fait-il ? » J'hésitai à me lever à mon tour pour quitter la pièce en courant. Je savais que c'était inutile. Les gardes me rattraperaient. Soudain, il passa ses mains autour de mon cou. Mon cœur se mit à battre de façon désordonnée. Voulait-il m'étrangler ou m'asphyxier pour m'entraîner plus commodément entre les murs de son harem ? J'allais hurler, lorsqu'une fraction de seconde plus tard, je sentis la fraîcheur d'un collier glisser sur la soie de mon vêtement.

— Un hommage à votre beauté, me susurra-t-il à l'oreille.

Voilà. Ce cadeau était une façon de m'acheter. D'ici quelques minutes, des eunuques viendraient me chercher et m'enfermeraient dans le harem. Je me résignai. À quoi bon crier, me débattre, le roi me tenait à sa merci. M. de Forbin avait raison Jamais je n'aurais dû venir dans ce palais. Je pensai à François, à ma mère, à ma sœur et à mes amies de Saint-Cyr... Une larme d'impuissance et de colère perla à ma paupière. Je la refoulai, ne voulant pas lui donner ma faiblesse en pâture.

— J'ai passé, grâce à vous, une fort agréable soirée, reprit le roi.

Aucun son ne parvenait à franchir mes lèvres. J'attendais simplement que mon sort se joue.

Devant mon mutisme, le roi s'inquiéta :

— Est-ce que ce bijou ne vous plaît pas ? Il a été créé spécialement pour vous avec cinquante diamants et autant d'émeraudes.

Je parvins à bredouiller :

— Si... mais...

— Vous le méritez grandement. J'espère que vous le garderez en souvenir de votre séjour au Siam.

— En souvenir ? répétai-je incrédule.

— Oui. J'aimerais que lorsque vous aurez regagné la France vous le portiez en pensant au roi de Siam qui vous l'a offert.

— Lorsque j'aurai regagné la France ? répétai-je encore comme si j'avais du mal à comprendre.

Les battements de mon cœur se calmaient peu à peu. Je respirais mieux et je parvins à sourire en assurant :

— Je n'oublierai pas votre hospitalité, Majesté.

— Il est fort tard. Ces messieurs de l'ambassade vont s'inquiéter. Je vais vous faire reconduire.

Il frappa dans ses mains. Une porte s'ouvrit. Quatre mandarins entrèrent en rampant sur le sol.

— Je... je remercie Votre Majesté du fond du cœur pour ce merveilleux présent.

Il donna un ordre bref et me fit signe de suivre les mandarins. J'exécutai une profonde révérence et je sortis. Il me sembla que le regard du roi était dans mon dos tandis que je traversais la pièce.

Dès que la porte se referma derrière moi, je caressai le collier d'une main. Grâce à lui, j'allais sauver François. J'avais envie de hurler de joie.

CHAPITRE

23

Quelques semaines plus tard, le fameux traité fut enfin signé. M. de Chaumont l'avait réécrit plusieurs fois afin qu'il convienne à Phra Naraï. Aucune des deux parties n'était entièrement satisfaite, mais il fallait bien aboutir à un accord.

Nous songeâmes au retour.

Depuis mon entretien privé avec le roi et le magnifique présent qu'il m'avait offert, la patience m'avait quittée et j'avais tant hâte de rejoindre la France que ma malle était bouclée depuis de nombreux jours.

M. de Forbin ne rentrait pas avec nous. Le roi de Siam l'avait fait grand amiral, général des armées et gouverneur de Bangkok où une citadelle devait être construite pour recevoir les troupes que le Roi de France allait envoyer. Malgré le peu de cas que le chevalier faisait de ce pays, tous ces honneurs lui tournèrent sans doute un peu la tête et il resta.

— Je ne m'éterniserai pas, me dit-il le jour des adieux. Phra Naraï pense m'acheter, il n'en est rien. Je ne reste que pour rendre vraiment compte au Roi de France de l'état de ce pays. On veut nous faire croire qu'il est riche et puissant, je suis persuadé du contraire.

Je lui souhaitai bonne chance.

— À mon tour de vous souhaiter tout le bonheur possible. Grâce à votre ténacité et à votre courage, vous allez sauver votre fiancé.

Je le remerciai et le quittai, triste de laisser un ami.

Par chance, Ewen s'embarquait avec nous. Lorsque je lui avais posé la question, ses yeux s'étaient arrondis de stupéfaction.

— Hé quoi, vous ne pensiez tout de même pas que j'allais rester dans ce pays quand ma Bretagne m'attend ! s'était-il insurgé.

Enfin, tout fut prêt.

Nous redescendîmes la rivière dans des balons sous les acclamations du peuple massé le long des rives.

Lorsque nous arrivâmes à la barre de Siam, je crus que nous allions partir sur l'heure. Il n'en fut rien.

Tout d'abord, le roi nous fit parvenir deux petits éléphants qu'il destinait au duc de Bourgogne et au duc d'Anjou, les petits-fils de Louis le Grand. Nous n'avions que faire de ces mastodontes sur notre vaisseau déjà chargé des trois cents ballots de présents. Mais l'envoyé du roi insista et on poussa les éléphants à bord. Nous avions également embarqué poules, cochons, canards, cabris, fruits et herbes pour notre consommation, mais, afin de peupler la ménagerie de Versailles, nous emportâmes en plus des singes, des perroquets, deux grands oiseaux blancs avec une touffe de plumes sur la tête, des coqs dindes et une multitude d'oiseaux multicolores. Pour finir, on nous donna six jeunes esclaves âgés d'une dizaine d'années qui devaient servir les passagers de noble condition. M. de Choisy s'était engagé à assurer leur éducation et à en faire de bons chrétiens. Ils me firent pitié. Comme eux, moi aussi j'avais été arrachée à ma famille. Je leur souris lorsqu'ils montèrent à bord et ils en furent si interloqués que l'un d'entre eux trébucha et s'étala sur le pont sous le rire de ses camarades. Je fus heureuse de constater que leur jeune âge et la misère dans laquelle ils étaient leur faisaient peut-être voir ce voyage comme une aubaine.

Enfin, afin de donner une idée de la nation siamoise à la Cour de France, trois ambassadeurs, huit mandarins, quatre secrétaires et vingt valets s'installèrent sur le navire.

Nous étions au complet. On allait donc larguer les amarres.

Non. Car nous étions un vendredi et les matelots bretons refusèrent de mettre les voiles. La superstition veut que les navires qui prennent la mer un vendredi n'arrivent pas à bon port.

Nous partîmes le samedi sur les deux heures du matin, salués par les coups de canon des forteresses bâties sur la rive.

La première euphorie du départ passée, je songeai qu'il faudrait six mois avant d'apercevoir les côtes de France et le découragement me saisit.

Fort heureusement, la vie à bord s'organisa et le temps s'écoula plus vite que ce que j'avais craint. Je me proposai pour instruire les jeunes esclaves. Je leur appris à lire et à écrire six mots par jour. Cette tâche m'occupait quotidiennement une heure ou deux. Ils étaient charmants et deux d'entre eux me parurent avoir une intelligence fort vive.

Je rendais souvent visite aux éléphants immobilisés dans leur cage et j'avais même obtenu qu'avec deux jeunes esclaves habitués à ces animaux nous puissions les promener sur le pont pour leur dégourdir les pattes, ce qui constituait une distraction appréciée de tous.

Les jésuites nous firent plusieurs conférences et de nombreux sermons. Certains m'ennuyèrent, mais c'était tout de même un moyen d'éviter de compter les heures.

L'un des ambassadeurs siamois nous enseigna la manière de nous servir du ginseng. C'est une petite racine qui croît en Chine et dont la vertu est de rendre leurs forces à ceux qui les ont perdues. Il suffit de jeter les racines coupées en petits morceaux dans de l'eau bouillante et de les laisser infuser avant d'avaler ce breuvage, le matin, à jeun. Il paraît que notre roi en apprécie les effets.

Ensuite, les ambassadeurs nous offrirent des pierres de bézoard[1] et nous montrèrent celle destinée au roi. Elle était de la grosseur d'un œuf de poule, ce qui lui donnait une immense valeur. C'est un excellent remède contre les poisons. Il suffit de la réduire en poudre et de l'ingurgiter dans un peu de vin pour être guéri de toutes sortes d'empoisonnements.

Les vents ne nous étaient pas contraires et nous avalions quarante lieues par jour. Mes malaises du début de la traversée ayant disparu, j'étais assez

1. Concrétion calcaire qui se forme dans l'estomac ou les intestins de certains animaux (singe, chèvre, hérisson...).

joyeuse. La certitude de sauver François et de pouvoir obtenir avec de l'argent des renseignements sur le sort de ma mère et de ma sœur y était pour beaucoup.

Hélas ! deux mois après notre départ, un vent terrible se leva, rendant la mer épouvantable. Il fallut vite amener toutes les voiles, les mâts des perroquets et la grande vergue. J'eus à peine le temps d'admirer l'agilité des matelots qu'on nous ordonna de nous calfeutrer dans nos cabines. J'étais si bousculée que je ne pouvais tenir ni debout ni couchée, d'autant que mon estomac remuait beaucoup, lui. Je serrais contre moi l'écrin contenant le collier afin qu'il ne se fracasse pas contre les parois. À travers les hurlements du vent, les rugissements de la mer, les craquements sinistres du navire me parvenaient les cris des marins et les plaintes des animaux affolés. L'eau entra par le plat-bord, noya vingt poules mais épargna les éléphants. Les coffres se battirent les uns contre les autres. La peur s'empara de moi et je tremblais de tous mes membres. Je ne pouvais m'empêcher de songer qu'en mourant j'entraînais dans la mort ceux dont la vie dépendait de moi et cela m'était intolérable. Je priai de toute mon âme que Dieu nous épargne.

La tempête dura deux jours, puis le vent se calma, le soleil commença à se montrer, les nuages se dissipèrent et le roulis diminua. Nous étions sauvés.

L'Oiseau et *La Maligne*, qui nous accompagnait, avaient souffert. Par chance, nous n'étions plus loin du Cap, où une escale était prévue. Le fort nous salua de sept coups de canon et *L'Oiseau* fit de même. Je n'étais pas fâchée, quant à moi, de mettre pied à terre. Nous fûmes fort agréablement reçus par le gouverneur, qui nous invita à sa table et nous fit déguster des soles à la française, des œufs frais, et des pêches madeleines. Pendant ce bref séjour, notre vaisseau fut raccommodé, referré, calfaté. Les matelots y chargèrent des rafraîchissements : moutons, poules, melons, salades, raisins, et même un bœuf, et surtout ils firent provision d'eau pour trois mois.

Puis nous repartîmes.

Ce n'est pas que j'étais pressée de retrouver la mer et son roulis, mais j'avais hâte de regagner la France. Il y avait si longtemps que je l'avais quittée ! Un an complet... et il nous restait encore trois mois de navigation si tout allait bien ! Il pouvait s'être passé tant de choses pendant mon absence ! Je préférais ne pas y penser, sinon la tristesse m'aurait envahie.

Le voyage reprit, monotone.

Je passai beaucoup de temps à instruire les jeunes esclaves. Je m'attachai à Pan, qui était le plus intelligent et qui avait soif d'apprendre. En trois mois, il parlait un français correct et je lui enseignai ce que j'avais moi-même appris à Saint-Cyr : le calcul, l'histoire, la géographie. Il me semblait que si on lui en donnait l'occasion, il pourrait s'élever au-dessus de sa condition, d'autant qu'il était plutôt bien fait de sa personne, qu'il avait les traits fins, de grands yeux noirs et un sourire charmeur.

Un mois après notre départ du Cap, nous longeâmes l'île de l'Ascension[1] auréolée de vols d'oiseaux. Ce fut notre distraction de la journée. Un mois encore et nous passâmes à quarante-cinq lieues des îles du Cap-Vert. Chaque fois, la vigie criait et nous cessions toute activité pour venir apercevoir la terre.

Enfin, après bientôt six mois de navigation, Ewen attira mon attention sur de minuscules points blancs dans le lointain :

— Ce sont des oiseaux de chez nous, me dit-il, nous arriverons demain.

L'émotion me fit venir les larmes aux yeux.

— Vous êtes sûr ? insistai-je.

— Certain.

Bientôt la vigie hurla :

— Terre ! Terre !

1. Île portugaise au nord-ouest de Sainte-Hélène.

Une bousculade s'ensuivit. Chacun voulant s'accouder au bastingage pour revoir notre terre de France.

Nous doublâmes bientôt Ouessant et, avec mille précautions à cause des écueils réputés dangereux, nous arrivâmes enfin à Brest.

CHAPITRE

24

Sitôt le vaisseau à quai, je trépignai d'impatience.

Je n'avais qu'une hâte, le quitter, trouver un coche qui me conduise à Paris et me précipiter à la prison de la Tournelle pour libérer François en échange du collier. Tout le reste m'indifférait. Je saluai tout de même mes compagnons de voyage, remerciant M. de Chaumont et M. l'abbé de Choisy d'avoir pris soin de moi pendant le voyage et le séjour au Siam. Je m'attardai un peu auprès de Pan, désespéré par notre séparation. Je lui griffonnai mon nom sur un papier en lui assurant que s'il avait besoin de moi, il pourrait éventuellement me trouver à Versailles. Je lui donnai aussi l'adresse du château familial car j'envisageais de rejoindre le Vivarais dès la libération de François.

Je fis ensuite mes adieux à Ewen. Je lui remis la robe ornée des boutons en diamant que Phra Naraï m'avait offerte. Il la refusa en plaisantant :

— Vous imaginez-vous que je vais la porter en pensant à vous ?

— Mais non, nigaud ! Vous allez découdre les diamants, les vendre et ainsi acheter la terre dont vous rêvez !

— Vous avez autant besoin d'argent que moi, se défendit-il.

— Le collier me suffira largement et puis, sans vous, je ne sais pas si j'aurais eu le courage d'affronter le roi de Siam.

— Que si ! Vous êtes une battante ! Des filles comme vous, je n'en ai jamais rencontré... je... je vais vous regretter.

Je sentais l'attendrissement me gagner. Il ne le fallait pas. J'essayai de rester distante et je lui dis :

— Moi aussi, je vous regretterai. Vous avez été un ami précieux et ce cadeau est la marque de ma reconnaissance.

Il prit la robe et la serra contre lui.

— Merci, murmura-t-il ému. Je ne vous oublierai pas...

Pan et lui descendirent la malle contenant mes effets sur le quai, puis ils m'accompagnèrent jusqu'au coche. Ils attendirent que je m'installe et lorsque le cocher fouetta ses chevaux, ils m'adressèrent un signe de la main. Une larme perla à ma paupière, j'agitai le bras et ils disparurent à ma vue.

J'étais à nouveau seule et ma solitude m'effraya.

Saurais-je me débrouiller dans Paris ? Et comment s'y prend-on pour faire libérer un prisonnier ?

Dans le coche, je me trouvai assise à côté d'une fille un peu rougeaude, enveloppée dans une mauvaise cape de bure. Comme je lui souriais par pure politesse, elle engagea la conversation :

— J'vais me placer chez le comte de Gramont, m'annonça-t-elle.

J'étais peu disposée à l'écouter, mais elle enchaîna :

— Il possède des terres dans mon village et a besoin d'une fille de cuisine. Mais j'ai peur d'avoir du mal à trouver sa demeure. Il paraît que Paris est dix fois plus grand que Brest.

Je souris sans répondre. J'avais trop de soucis en tête pour m'approprier ceux des autres. Pas découragée par mon mutisme, elle poursuivit :

— Vous connaissez la rue des Bernardins ?

— Je ne suis jamais allée à Paris.

— Ah, faites excuses... en vous voyant, j'ai pensé que vous étiez parisienne.

Un homme qui paraissait somnoler, calé contre la portière, ouvrit un œil et dit :

— La rue des Bernardins est en face du quai de la Tournelle... à deux pas de la prison des galériens.

Une bouffée de chaleur m'empourpra le visage comme si l'on venait de découvrir mon secret.

En fin de journée, nous fîmes halte dans une auberge pour la nuit. Hélas ! c'était la grande foire d'automne et il ne restait que quelques chambres libres. On me proposa d'en partager une avec la demoiselle Perrote Corentin, ma voisine. J'aurais préféré le calme et la solitude, mais je n'avais pas le choix.

— J'vois bien que nous ne sommes pas de même condition et si cela vous gêne de dormir avec moi, j'me contenterai du fauteuil, me dit-elle lorsque nous nous retrouvâmes dans la chambre qui ne comportait qu'un seul lit.

— Non point.

— Et si j'suis trop bavarde, dites-le-moi.

Sa franchise me fit sourire et je lui glissai :

— C'est que... j'ai quelques soucis qui m'ôtent l'envie de discuter.

— Je m'en doutais. Je vous ai vue changer de visage lorsque le mot « prison » a été prononcé.

Je rougis à nouveau. Elle enchaîna :

— Quelquefois, cela fait du bien de parler...

Elle commença à se déshabiller sans façon, ôtant sa jupe de bure brune et ses bas reprisés. Elle marqua un temps d'arrêt avant de délacer son corset, puis elle me dit :

— Moi-même, je quitte mon village sans gloire. Mon père est un honorable sabotier. Ma mère élève mes cinq frères et sœurs dans la dignité. Comme j'suis l'aînée, on m'a placée à la ferme des Combes. Le fils cadet m'a fait comprendre que j'lui plaisais et qu'il voulait m'épouser. J'étais bête. Je l'ai cru... et me v'là enceinte... Il vient de me chasser.

Elle s'arrêta un instant. Sans doute revivait-elle cette délicate situation.

— J'veux plus rester dans notre village. J'ai trop honte. À Paris, ce sera plus facile. Peut-être j'pourrai élever mon enfant... au pire, j'le déposerai sur les marches d'une église, mais personne de ma famille ne le saura et j'éviterai le déshonneur.

Sa confession me toucha et mon histoire sortit naturellement de mes lèvres comme l'eau d'un vase trop plein.

— J'arrive du Siam...

Je lui racontai tout. Elle m'écouta sans m'interrompre. À la fin de mon récit, elle murmura :

— Vous avez bien des malheurs, vous aussi.

Nous discutâmes une grande partie de la nuit. À un moment, elle bredouilla :

— Si j'osais... j'vous demanderais de... Est-ce que vous pourriez me montrer le collier que le roi vous a offert ?

Afin de ne point le perdre et de le protéger des voleurs, je l'avais enfermé dans une bourse de tissu cousue à l'intérieur de mon jupon. J'hésitais à le sortir de sa cachette. Après tout, je ne connaissais Perrote que depuis quelques heures.

— N'ayez crainte, je ne suis point une voleuse, se défendit-elle, mais voir un bijou offert par un roi... c'est un peu comme un rêve.

Honteuse de l'avoir soupçonnée, je soulevai ma jupe pour en extraire le collier dont les pierres étincelèrent à la lueur de la bougie.

— Mazette, que c'est beau ! s'exclama Perrote en caressant les diamants et les émeraudes du bout du doigt. Jamais je n'ai vu autant de pierres brillantes !

Pour lui faire plaisir, je lui attachai le collier autour du cou. Elle se leva et se mit à tournoyer sur le plancher en répétant :

— Je suis la reine... la reine de Bretagne... la reine de France...

Elle était si comique que nous éclatâmes toutes les deux de rire.

Elle s'abattit sur le lit et me dit :

— Quel dommage de vendre une si belle pièce !

— Je n'ai aucun regret puisque c'est pour libérer mon fiancé.

— Ah, il a bien de la chance d'avoir une promise comme vous !

La peine et le rire firent naître la complicité entre nous et le reste du voyage se déroula agréablement.

Aux portes de Paris, elle me proposa :

— Puisque nous allons toutes les deux au quai de la Tournelle, faisons le chemin ensemble.

J'acceptai avec joie.

CHAPITRE 25

Lorsque nous arrivâmes en face du château de la Tournelle qui servait de prison, mes jambes flageolèrent et la tête me tourna. Je crois bien que si Perrote n'avait pas été là, je serais tombée :

— Holà, s'exclama-t-elle, ce n'est pas le moment de flancher ! Vous voilà près du but.

Elle avait raison, mais je ne parvenais pas à calmer ma nervosité.

— Venez avec moi, la suppliai-je.

— Je ne pense pas qu'être accompagnée d'une paysanne vous aidera, remarqua-t-elle.

— Ce n'est pas à la paysanne que je m'adresse, mais à l'amie, lui répondis-je.

Ma phrase la toucha. Car elle me prit par le bras et me dit :

— Ah, mademoiselle, si vous voulez bien que je sois votre amie, alors je vous suivrai au bout du monde !

Sa fraîcheur me fit sourire malgré moi et me redonna la force de frapper le marteau de bronze contre la lourde porte.

Deux yeux sombres s'encadrèrent dans la lucarne grillagée et grognèrent :

— Qui êtes-vous et que voulez-vous ?

— Je suis Charlotte de Lestrange et je viens pour libérer François de Marquet condamné aux galères.

— Je vais voir, bougonna-t-il avant de disparaître.

Nous attendîmes. Une petite pluie fine s'était mise à tomber. Ma tenue n'était pas celle qui convenait pour le climat de Paris, j'avais une robe d'indienne et un mantelet de soie léger. Perrote étendit au-dessus de ma tête la largeur de sa cape. De longues minutes plus tard, le gardien revint, ouvrit la porte, nous fit traverser une cour pavée et nous introduisit dans une pièce où un homme ventripotent, assis derrière un bureau, prisait du tabac.

— Ainsi, nous dit-il, vous venez pour libérer M. de Marquet, mais savez-vous, demoiselles que cela ne peut se faire que grâce à une lettre de cachet du roi ou en achetant sa liberté.

— J'ai de quoi payer, répliquai-je.

— Cela m'étonnerait. La liberté d'un homme vaut plus que la valeur de quelques rubans... votre dot n'y suffirait pas, affirma-t-il en découvrant ses dents gâtées dans un sourire qui me fit frissonner de dégoût.

— J'ai de quoi payer, répétai-je avec fermeté.

— Montrez-moi votre avoir et je vous dirai si je peux faire quelque chose pour vous.

Je me retournai contre le mur, soulevai un pan de ma jupe et sortis le collier de sa cachette, puis je le lui tendis. Ses yeux étincelèrent de convoitise et sa bouche s'arrondit de stupéfaction :

— Voilà un bien beau bijou, me dit-il. Où l'avez vous volé ?

Furieuse et humiliée d'être prise pour une voleuse, je me défendis avec force.

— Je ne l'ai point volé. C'est le roi de Siam qui me l'a offert.

Il éclata de rire :

— Eh bien, vous, au moins, vous ne manquez pas d'imagination !

— Ce n'est point de l'imagination. J'arrive du Siam avec M. de Chaumont, M. l'abbé de Choisy et trois ambassadeurs de ce pays. C'est notre Roi, Louis le Grand, qui avait envoyé là-bas une ambassade.

L'homme sembla ébranlé par mes affirmations. Je profitai de cet avantage pour insister :

— Il me semble que ce bijou paye grassement la liberté de M. de Marquet.

Il hésita, puis glissa le collier dans une poche de son habit et nous dit :

— Je reviens... je vais informer ce monsieur... qu'on vient pour le délivrer.

Ma tension nerveuse se relâcha à l'annonce de la fin proche de mes tourments, mes forces m'abandonnèrent et je me laissai tomber sur un pliant tandis qu'il quittait la pièce.

Nous attendîmes longtemps.

Je me relevais, je marchais dans la pièce, je m'asseyais à nouveau, ne cessant de m'inquiéter :

— Mais que fait-il donc ?

— Il cherche sans doute le nom de votre cousin sur ses listes.

— Oh, mon Dieu, et s'il était déjà à la chaîne sur une galère !

— Ne parlez pas de malheur !

— Il y a un an et deux mois que nous sommes partis... Plus de temps qu'il n'en faut pour qu'un prisonnier parte aux galères.

La porte s'ouvrit brusquement et un homme vêtu de noir entra. Ce n'était pas celui qui nous avait reçus. Il tenait une feuille à la main et m'annonça tout à trac :

— M. de Marquet a été libéré, il y a six mois.

Je vacillai. Perrote s'approcha de moi et me soutint. Je répétai incrédule :

— Libéré... Il y a six mois... Mais comment...

— Je ne m'en souviens plus, mais la décharge est signée là.

Il me tendit la feuille. Je vis une signature. Le nom était indéchiffrable.

Ma vue se brouilla. Perrote me fit asseoir sur le pliant afin que je reprenne mes esprits et lança :

— Dans ce cas, rendez-nous le collier.

— Le collier ? Quel collier ? s'étonna l'homme.

— Celui que nous avons donné à l'homme qui nous a reçues.

— Il ne m'a rien dit.

— Ce... ce n'est pas possible, bredouillai-je, nous lui avons remis un collier de diamants et d'émeraudes que...

— Que vous avez volé ! termina l'homme.

— Pas du tout.

— Silence ! Je pourrais vous arrêter pour vol, mais c'est mon jour de bonté, alors je vous laisse partir. Par contre, je ne veux plus ni vous entendre, ni vous voir !

— Voleur ! hurla Perrote. C'est vous le voleur !

— Gardes ! hurla à son tour l'homme en noir.

Quatre gardes armés firent irruption dans la pièce. Je crus qu'ils allaient nous enfermer et que nous allions terminer nos jours dans cette prison.

— Fichez-moi dehors ces deux donzelles ! ordonna-t-il.

La lourde porte de bois claqua derrière nous, nous laissant désemparées sur la chaussée. Je fondis en larmes dans les bras de mon amie.

— Mais qui a bien pu... qui a bien pu..., hoquetai-je.

Soudain, une idée me traversa l'esprit :

— Le marquis ! C'est lui... Il a... il a fait enlever François pour m'ôter tout espoir de le revoir !

La colère me submergea :

— Et il s'imagine que cela va m'encourager à l'épouser ! Jamais ! Plutôt mourir !

La pluie continuait à tomber. Je ne la sentais pas. Je n'étais plus qu'une loque, pleurant, suffoquant, et je me serais écroulée dans le caniveau boueux sans l'aide de Perrote.

Elle me berça de paroles réconfortantes, puis m'exhorta à faire preuve de courage, à ne pas céder au chantage ignoble du marquis et à continuer à me battre pour retrouver François.

Peu à peu, je me calmai.

— Vous avez raison, lui dis-je en essuyant mes larmes. Je vais me battre.

— À la bonne heure... Maintenant, il faut que je vous laisse. Je dois me présenter à la famille de Gramont et je ne voudrais pas arriver en retard.

— Pardonnez-moi de vous avoir retenue avec mes problèmes... en tout cas, votre présence m'a été précieuse... et si un jour, à votre tour, vous avez besoin d'aide... j'espère pouvoir vous être utile. Je vais prendre le coche pour Versailles. Là-bas, Marguerite de Caylus et mon frère Simon me conseilleront. Je vous souhaite bonne chance, Perrote.

— Vous aussi, bonne chance, Charlotte.

Elle me serra contre elle comme si nous avions été des amies de longue date et je l'embrassai avec chaleur. Puis, transie jusqu'aux os, je rasai les murs pour regagner la rue Saint-Nicaise d'où partaient les coches pour Versailles.

CHAPITRE

26

Lorsque, après une heure de route, je descendis du coche arrêté dans l'avant-cour, j'éprouvai le soulagement de celui qui arrive dans un lieu connu. Je me faufilai avec aisance parmi les voyageurs à cheval, les carrosses, les chaises à porteurs, les gentilshommes, les palefreniers, les domestiques, les dames élégantes, les vendeurs de pacotilles et les pèlerines rouges des cardinaux.

Le trajet en coche m'avait permis de me calmer et de réfléchir. Inutile de chercher Simon dans la foule de Versailles, il était probablement chez M. de Pontchartrain. Je me rendis donc chez Marguerite.

En traversant la cour royale, les regards méprisants des courtisans me rappelèrent brutalement ma misérable condition. Le bas de ma robe était crotté, le tissu délavé et mes cheveux pendaient lamentablement sur mon front. J'avais tout d'une souillon. Je n'avais pourtant ni l'envie ni les moyens de m'apprêter. Faisant fi des gens de cour, j'empruntai l'escalier conduisant à l'appartement de Marguerite. Je priai afin de ne croiser personne de ma connaissance, cela aurait été si humiliant !

J'avais sans doute déjà tant souffert que Dieu m'exauça.

Je frappai discrètement à la porte de l'antichambre de Marguerite. Suzon m'ouvrit et poussa un cri :

— Ciel ! Mademoiselle Charlotte !

J'étais paralysée sur le seuil de la porte. Elle me tira à l'intérieur de la pièce, tout en appelant :

— Madame ! Mademoiselle Charlotte est de retour !

Marguerite apparut et me dévisagea comme si elle voyait un revenant :

— Charlotte ! s'exclama-t-elle. Ce n'est pas possible !

L'émotion me rendait muette.

— Nous vous avons crue... morte, reprit Marguerite.

— Morte ? balbutiai-je.

— Mais oui, ma chère. Cela fait plus d'un an que vous avez disparu ! J'ai tout d'abord pensé que le marquis de Réaumont vous avez enlevée. M. de la Reynie, chef de la police, que j'ai supplié de mener une enquête discrète, m'a assuré que le marquis ne séquestrait personne. Nicolas Coustou, aussi soucieux que moi, a cherché de son côté ce qui avait bien pu vous arriver, sans aucun résultat.

J'étais à la fois heureuse et confuse d'apprendre que les deux amis que je comptais à Versailles s'étaient inquiétés pour moi.

— Tous les jours, nous espérions de vos nouvelles, pensant que vous aviez peut-être regagné votre Vivarais sur un coup de tête... et puis, le temps passant, nous avons fini par admettre qu'un malheur était survenu et que nous ne vous reverrions pas.

Elle me dévisagea comme si j'étais une revenante et ajouta :

— Mais où étiez-vous donc et comment se fait-il que vous soyez dans cet état ?

— J'étais au Siam.

— Au Siam ! C'est pas Dieu possible ! s'exclama Suzon.

— Asseyons-nous, vous allez tout me conter, me proposa Marguerite.

Je lui fis le récit de mon aventure jusqu'à mon retour à Brest.

— Vous auriez dû me faire parvenir un pli lors d'une escale, cela m'aurait évité bien du tracas.

— Je ne le pouvais point. Cela aurait porté préjudice à M. de Forbin et au capitaine de *L'Oiseau*, qui m'ont acceptée comme passagère alors qu'ils avaient ordre de n'embarquer aucune femme.

Je n'osai lui avouer que, égoïstement, je n'avais pas songé une seconde que ma disparition aurait pu lui occasionner du souci. Mon seul objectif était de sauver François.

François !

Où était-il ?

Un tremblement nerveux s'empara de moi, les larmes me submergèrent et je m'écriai entre deux sanglots :

— François n'est plus à la prison de la Tournelle ! Il n'y est plus ! Il a... disparu ! Il... a été enlevé par le marquis... et...

— Calmez-vous, François n'a point été enlevé par le marquis.

Alors que j'étais sous l'emprise de la colère et de la tristesse, son calme m'agaça et je lui lançai avec hargne :

— Comment le savez-vous ?

— C'est moi qui ai payé sa libération.

Un instant de silence me fut nécessaire pour comprendre cette phrase et je soufflai d'une voix à peine audible :

— Vous ?

— Oui. Peu de temps après votre disparition, j'ai appris que la chaîne allait partir pour Marseille. Vous m'aviez si souvent parlé de votre cousin que son sort m'a inquiétée. Une fois sur la galère il est pratiquement impossible d'obtenir une libération. Je me suis précipitée à la Tournelle et j'ai proposé tout mon pécule pour acheter sa liberté. Il n'était pas gros, mais mon lien de parenté avec Mme de Maintenon fit que la porte de sa prison s'ouvrit.

Les larmes de nouveau ruisselaient sur mes joues, mais c'étaient des larmes de joie et de reconnaissance :

— Marguerite... Marguerite..., murmurai-je. Vous avez fait ça...

Elle posa une main sur mon bras et poursuivit :

— Le pauvre garçon était bien à plaindre. Il était en guenilles, n'avait plus que la peau sur les os, et la vermine le rongeait... mais il avait le plus doux des sourires et les yeux les plus beaux que j'aie jamais vus.

— Où... où est-il ?

— J'ai loué pour lui un petit appartement en ville sous un faux nom. Il y mène la vie d'un parfait gentilhomme et a même ses entrées à la Cour.

Tout ce bonheur qui m'arrivait libéra soudainement un flot de paroles et je m'écriai :

— Oh, Marguerite, comment vous remercier... je suis si heureuse... sans vous il était perdu ! Vite, donnez-moi l'adresse que je coure l'embrasser !

— Dans cet état ? se moqua mon amie.

— Je vais m'occuper de vous, mademoiselle Charlotte, me dit Suzon, et dans deux heures vous serez éblouissante.

Suzon me lava, m'habilla d'une robe de Marguerite (celles que j'avais laissées avaient été vendues à une boutique de la porte du château), me coiffa, me poudra, me parfuma.

Quand je fus enfin prête, Marguerite et moi nous nous installâmes dans une voiture à cheval qui nous conduisit rapidement devant la porte cochère d'une grosse maison de pierre. Je levai les yeux vers les fenêtres. Peut-être François observait-il notre arrivée ? Mon cœur battait à tout rompre. La dernière fois que je l'avais vu, j'avais à peine douze ans et lui seize... et cinq ans s'étaient écoulés.

Marguerite toqua à la porte avec l'aisance de l'habitude. J'étais très émue.

Il ouvrit rapidement et saisit la main de Marguerite pour l'attirer à l'intérieur, puis il me vit. Il mit quelques secondes à me reconnaître et soudain s'écria :

— Charlotte ! Charlotte, vous ici... C'est... c'est incroyable !

Timide et gauche, je restais plantée sur le seuil. J'avais moi aussi du mal à le reconnaître. J'avais gardé l'image d'un jeune homme simple et sans artifice et je voyais un gentilhomme portant une fine moustache, la perruque poudrée, richement vêtu. Cela me déconcerta. Marguerite me poussa un peu pour me faire entrer et lança d'une voix enjouée :

— Vous aussi, vous avez du mal à le croire... et pourtant c'est bien notre Charlotte ! Embrassez-vous, vous l'avez bien mérité !

François me prit dans ses bras et me posa délicatement un baiser sur le front. J'avais attendu cet instant depuis si longtemps que j'oubliai tout et crus défaillir de bonheur.

Lorsque je contai mon voyage au Siam, il me demanda d'une voix émue :

— Et vous êtes partie pour... me sauver.

— Oui. Pour trouver de l'argent afin d'acheter votre libération.

Il me serra dans ses bras avec plus de chaleur que la première fois.

À mon tour, je le questionnai :

— Avez-vous des nouvelles de ma mère et de ma sœur ?

— Hélas non ! mais votre frère est sur une piste.

— Alors, dites-moi vite où je peux le rencontrer.

— J'ignore où il est. À dire vrai, Simon a... disparu lui aussi. Peu de temps après vous.

Le ciel me tombant sur la tête ne m'aurait pas occasionné plus grand malaise et je balbutiai :

— Mais... il aimait Hortense... Il n'a pas pu l'abandonner...

— C'est un sujet fâcheux et je préfère ne pas en parler, me dit Marguerite. Il me semble qu'à votre place je regagnerais le Vivarais. Là-bas, vous aurez sans doute des informations. À Versailles, le nom de votre famille est banni.

Après le bonheur de revoir François, ce qu'elle m'annonçait là me glaça.

C'est lui qui me réconforta :

— Voyons, Marguerite, vous exagérez sans doute. Je connais bien Simon, il est valeureux et s'il est parti à la recherche de sa mère et de sa sœur, je suis certain qu'il les retrouvera.

Puis il ajouta en se tournant vers moi :

— Afin d'attendre leur retour, je pense qu'effectivement il serait préférable que vous retourniez en Vivarais.

Je dus lui lancer un regard désespéré car il enchaîna :

— Je vous y accompagne. À partir de ce jourd'hui, je ne vous quitte plus et vous pourrez compter sur moi en toute circonstance.

Marguerite changea de visage. Elle se dirigea vers la porte et lança d'un ton acide :

— Eh bien, puisqu'il en est ainsi, je vous laisse.

François m'enveloppa de ses bras et souffla dans mes cheveux :

— Marguerite est jalouse. Je lui dois beaucoup puisqu'elle m'a sauvé la vie... mais les sentiments ne s'achètent pas. C'est vous que j'aime, Charlotte.

J'étais certaine que cet amour qui m'avait aidée à supporter la vie à Saint-Cyr et qui m'avait conduite à traverser les océans me permettrait de surmonter le dernier obstacle à mon bonheur : retrouver ma mère et ma sœur.

Je me blottis contre lui et murmurai :

— Moi aussi je vous aime, François.

Retrouvez la suite des aventures des Colombes dans :

La promesse d'Hortense.

L'illustratrice

Aline Bureau est née à Orléans en 1971. Elle a étudié le graphisme à l'école Estienne puis la gravure aux Arts décoratifs à Paris. C'est dans l'illustration qu'elle s'est lancée en travaillant d'abord pour la presse et la publicité et depuis peu pour l'édition jeunesse.

L'auteur

En un quart de siècle, Anne-Marie Desplat-Duc a publié une quarantaine de romans dont beaucoup ont été primés. Rien de surprenant quand on sait que sa passion est l'écriture et qu'elle y consacre tout son temps. Comme elle aime les enfants, c'est pour eux qu'elle écrit des histoires qui finissent bien. Vous pouvez toutes les découvrir sur son site Internet : **http://a.desplatduc.free.fr**

CHEZ FLAMMARION, ELLE A DÉJÀ PUBLIÉ :

- **Dans la collection « Premiers romans »**
  Les héros du 18 :

1. *Un mystérieux incendiaire*
2. *Prisonniers des flammes*
3. *Déluge sur la ville*
4. *Les chiens en mission*

- **Dans la collection « Castor Poche » :**

\- *Félix Têtedeveau*
\- *Une formule magicatastrophique*

- **Dans la collection « Flammarion Jeunesse » :**

\- *Un héros pas comme les autres*
\- *Ton amie pour la vie*

- **En grands formats :**
  Marie-Anne, fille du roi :

1. *Premier bal à Versailles*
2. *Un traître à Versailles*
3. *Le secret de la lavandière*

\- *L'Enfance du Soleil*

Les Colombes du Roi-Soleil

Des jeunes filles rêvent d'aventure et de succès. Élevées aux portes de Versailles, les Colombes du Roi-Soleil volent vers leur destin...

Partagez le destin
des Colombes du Roi-Soleil
avec huit tomes
parus en grand format

Les Comédiennes de Monsieur Racine

Le célèbre Monsieur Racine écrit une pièce de théâtre pour les élèves de madame de Maintenon, les Colombes du Roi-Soleil. L'occasion idéale pour s'illustrer et, qui sait, être remarquée par le Roi. L'excitation est à son comble parmi les jeunes filles. Y aura-t-il un rôle pour chacune d'entre elles ?

Le secret de Louise

Grâce à ses talents de chanteuse, Louise est remarquée par la Reine d'Angleterre, qui lui demande de devenir sa demoiselle d'honneur. Elle quitte à regret Saint-Cyr et ses amies. Mais, très vite, elle fait des rencontres passionnantes et des découvertes qui vont l'aider à lever le voile sur le mystère qui entoure sa naissance...

La promesse d'Hortense

Hortense a fait une promesse à son amie Isabeau : rester avec elle à Saint-Cyr jusqu'à leur vingt ans. Mais Simon, l'homme qu'elle aime, ne supporte plus de vivre loin d'elle. Hortense accepte de s'enfuir avec lui. Même si elle sait qu'elle risque de provoquer le courroux du roi...

LE RÊVE D'ISABEAU

Depuis que ses amies ont quitté Saint-Cyr,
Isabeau rêve de réaliser, à son tour, son vœu le plus cher :
devenir maîtresse dans la prestigieuse institution
de Madame de Maintenon. Elle doit, pour cela,
avoir une conduite irréprochable. Or, elle se retrouve,
bien malgré elle, au cœur d'une affaire d'empoisonnement.
Isabeau voit son rêve s'éloigner...

ÉLÉONORE ET L'ALCHIMISTE

Promise contre son gré à un baron, Eléonore quitte Saint-Cyr pour la Saxe. Si elle accepte ce sacrifice, c'est parce qu'il a promis d'aider ses sœurs dès qu'ils seront mariés. Hélas, rien ne se passe comme prévu ! Eléonore s'éprend de Johann, un jeune alchimiste qui recherche le secret de la transmutation du plomb en or. Elle décide de tout faire pour l'aider à réaliser son rêve !

UN CORSAIRE NOMMÉ HENRIETTE

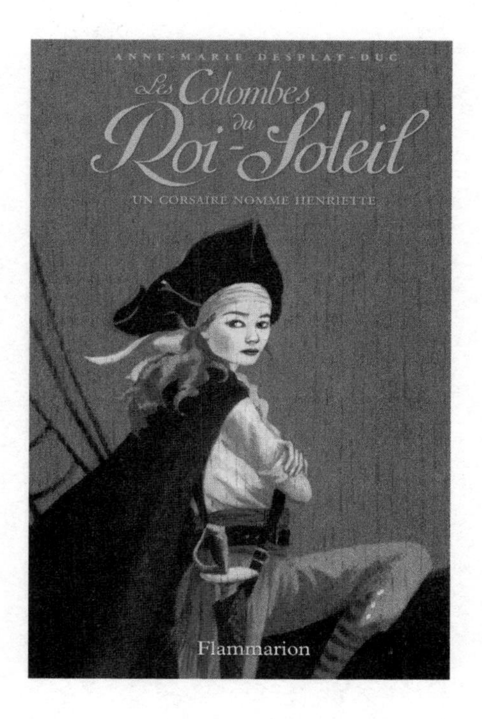

Originaire de Saint-Malo, Henriette est un garçon manqué. Amoureuse du vent et de la mer, elle ne rêve que de bateaux, au grand désespoir de sa mère.
A Saint-Cyr, elle se lie d'amitié avec ses compagnes de fortune, mais elle n'est pas faite pour l'étude, le calme, ni la prière. Elle décide donc de reprendre sa liberté et d'aller au-devant de l'aventure pour réaliser son destin...

GERTRUDE ET LE NOUVEAU MONDE

Pour sauver son amitié avec Anne, Gertrude a commis une lourde faute et purge sa peine en prison. Mais une opportunité s'offre à elle : partir pour le Nouveau Monde. Là-bas, elle espère retrouver enfin la liberté et le bonheur. Pourtant, elle ne se doute pas des obstacles qui jalonneront sa nouvelle existence...

l'Enfance du Soleil

ANNE-MARIE DESPLAT-DUC

« On a beaucoup écrit sur moi, ou plutôt sur le grand roi que je suis devenu, le Roi-Soleil. Mais l'enfant, qui en a parlé ? Ma jeunesse a été faite de joies, de peines, d'amours, d'amitiés et de trahisons. L'absence d'un père, les tourments d'un pays en guerre, l'affection d'un frère et d'une mère, l'amour de la belle Marie Mancini... Qui, mieux que moi, saurait les raconter ? J'ai décidé de prendre la plume. Et s'il se peut que je mélange un peu les dates, pour les sentiments, en revanche, je n'ai rien oublié. »

DÉCOUVREZ LA NOUVELLE SÉRIE
DE ANNE-MARIE DESPLAT-DUC

1674.
Marie-Anne, élevée loin de la cour, apprend qu'elle est la fille du Roi Soleil. Prévenue des dangers d'une vie fastueuse, Marie-Anne s'apprête à découvrir Versailles et à faire son entrée dans la lumière.
Soudain, tous les regards se tournent vers elle…

Loup
Carnet
Éventail
Gants
Tampon
OFFERT
pour réaliser
tes créations :
du fil à broder,
des sequins,
du ruban.
Crée
les accessoires
de rêve
Stéphanie Desbenoit-Charpiot
Les activités
du Père Castor

Imprimé à Barcelone par:

Dépôt légal : juin 2010
N° d'édition : L.01EJEN000354.C004
Loi n°49-956 du 16 juillet 1949
sur les publications destinées à la jeunesse